輕熟女必讀！
婦科煩惱答問書

陳穎賢醫生　著

自序

擔任婦產科專科醫生這個崗位多年，我從來沒有想過會出版自己的著作，感恩這兩三年有機會在報章撰寫專欄，分享婦女保健資訊及解答疑問，與讀者結緣。

每天觀察形形色色的求診者，我發現女士們總是忽略了自己的健康。無疑，現代女性身兼多職，以我自己為例，妻子、母親、女兒、醫生多重身份，每天總是匆匆忙忙，更莫說能停下來好好休息；也有部分女生因為怕尷尬，即使意識到身體在抗議，亦遲遲不敢正視問題，錯過了治療的最佳時機，結果到了想孕育小寶寶時，才追悔以往沒有好好保養。

其實如果及早發現問題，大部分的婦科病症是不難處理的，只要配合定期婦科檢查，便可減低患上各類婦科重症包括癌症的風險。我希望透過這本答問書，除了為讀者提供一些婦科及泌尿婦科的基礎入門知識，以致當身體出現變化時，不用過分憂慮。更重要的是，願藉此書能提醒女士們平日多關顧自己，身心健康，自然可以自信地度過每一個人生階段。

最後，謹將此書獻給我的家人，並感謝所有曾經為此書付出的工作人員，祝願大家平安喜樂。

目錄

Chapter 4：自信更年期

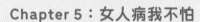

Chapter 5：女人病我不怕

附錄：婦科檢查入門篇

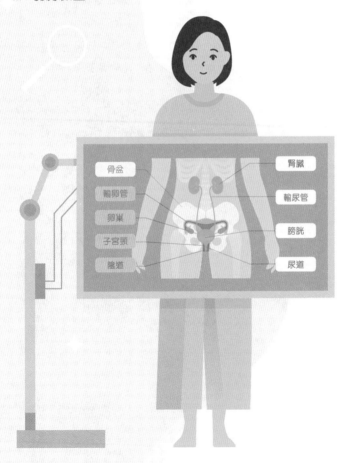

CHAPTER 1

女生Me Time

1.1
少女也有婦科病

問：「婦科病」是否只會出現在已婚、曾經生育或年長的女士身上，我才二十出頭，應該沒什麼大問題吧？

答：即使只有20歲，甚至是青春期的少女，同樣會有婦科煩惱，絕對不宜輕視！除較常提及的月經失調和陰道炎外，以下婦科疾病也不時在年輕女性身上出現。

經痛與子宮內膜異位

談起最常見的少女婦科問題，便非經痛莫屬！患者來經時一般會感到下腹呈收縮性疼痛，也可反射至身體其他位置如腰背部位，嚴重時可使人嘔吐。這種痛楚通常維持一至兩天，之後會逐漸消失，屬於原發性經痛。

另有一些青春少艾長期受着嚴重經痛的困擾，這可能是源於子宮內膜異位症。患者因經血倒流至盆腔，令內膜組織於子宮腔以外的位置繼續生長，形成發炎及疼痛。一般而言，患者多在二十餘歲開始出現症狀，有些個案則是卵巢內長有「朱古力瘤」，或是子

即使是處於青春期的少女，亦有機會患上婦科疾病。

宮肌層出現子宮腺肌瘤等。值得留意的是，子宮內膜異位可影響排卵，有機會導致不育。（請參考本書第三章〈子宮內膜異位可致不孕〉）

如生理期痛楚影響日常生活，患者可選擇服用止痛藥物。經痛嚴重者或須透過使用荷爾蒙藥物，以調節經期及減少經量，藉以改善經痛。不過隨着年齡增長，特別是生育過後，原發性經痛一般會得以改善。

什麼是朱古力瘤？

簡單來說，朱古力瘤是子宮內膜異位的一種，由於子宮內膜不正常地長於卵巢表面，仍然周期性增厚及脫落，時間一久便會形成血瘤。在香港，約10至15％的生育年齡女性有子宮內膜異位症，當中約15％受朱古力瘤困擾。若置之不理，有機會出現滲漏、破裂等併發症，導致急性腹膜炎，引起劇痛，造成黏連。

如有生兒育女打算的女生更要特別留意，因為此症有機會導致輸卵管閉塞，影響生育能力，可能會令人不育，有指三至五成的朱古力瘤患者也有不育的問題。

治療朱古力瘤，一般以手術方式為主，惟若患者症狀輕微而且腫瘤不大（如直徑在3厘米以下），則可考慮先透過藥物（如止痛藥、荷爾蒙藥物）控制病情。然而若病徵於使用藥物後未有減輕，又或是腫瘤有變大的跡象，則須考慮進行手術切除子宮內膜異位組織。

尿道炎

若經常尿意頻密，惟每次僅能排出少量尿液，且感到赤痛、小便混濁甚至帶血時，很可能是患有尿道炎。尿道炎一旦延遲就醫，有機會讓膀胱細菌感染腎臟，後果嚴重。

預防此症須保持個人衞生,減少細菌繁殖的機會。如廁後謹記由外陰向後抹至肛門,以及盡量選擇透氣的棉質內褲。日常多喝水,不宜習慣憋尿。

即使是健康活潑的少女,依然有機會患上任何婦科毛病;若有上述情況,宜及早求醫,方可避免惡化,造成長遠影響。

1.2
女士經期反映健康

問：如果經期出現不準、經量過多，又或是過少的狀況，是否代表健康出問題？

答：不管是努力應付考試的學生，抑或是初出社會的新鮮人，都很易因過度拚搏導致壓力增加，繼而影響月經周期、經量及經痛等。若情況只是偶爾發生，一般以普通止痛藥物與減壓運動等方法，已經足以紓緩不適。惟若情況持續3個月經周期以上，經痛強烈，又或是於非經期日子與行房後無故出血，便可能是患上經期失調了。

何謂正常經期？

為了孕育寶寶，女性身體會每月排出卵子；如果卵子沒有受精，子宮壁因增厚充血的內膜，便會於排卵後14天自行脫落，從陰道流出體外，這便是讓女生既愛且恨的月經了。每位女性的月經日數並非一樣，一般可由3天至7天不等；只要每月經期日數均等，而且排出的經血量少於100毫升，便可說是正常。

圖表1.1 月經問題一覽

類別	情況
月經周期	· 比上次經期提前7天以上 · 比上次經期延遲3個月以上
月經流量	· 流量過多（經血內出現血塊／白天須使用夜用衛生巾並於2小時內已濕透） · 流量過少（經期不足2天便完結）
月經日數	· 每次來經超過7天以上

月經失調原因

→ 經期失調的原因眾多，較常見的包括多囊卵巢綜合症。患者的卵巢因未能成功排卵，故一般月經會偏遲，甚至是相隔兩三個月沒有經期。患者一般同時有偏胖、體毛及暗瘡較多的問題。

→ 部分健康問題，如內分泌失調、甲狀腺或腎上腺出現毛病、腦下垂體有腫瘤、催乳激素驟升等，可引起經期紊亂，情況嚴重更會導致閉經的狀況。

→ 若女性生殖系統出現發炎感染，如盆腔炎、性病等，亦可能抑制月經。

→ 部分婦女因分娩時失血過多,損害到腦下垂體的功能,導致日後閉經。

→ 長期注射單一荷爾蒙避孕針的女士,一旦停止注射,由於內分泌回復正常需時,可能會短暫閉經。

→ 至於排卵功能尚未成熟的少女,以及踏入更年期的女性,也可能有經期不穩定的情況。

長期月經失調不容輕視,假如延誤治療,可能因久未排卵致成孕機會大打折扣。此外,持續閉經的女士,子宮內膜容易出現增生現象,增加子宮內膜病變風險!

治療方法

一般來說,月經周期延遲3個月以上的女士可透過荷爾蒙藥物治療來調節經期,個別狀況可等待經期自然回復正常。準備懷孕的多囊卵巢綜合症患者,可透過藥物調整月經周期誘導排卵;而暫無生育意願者則可服用混合性的口服避孕丸,降低雄激素分泌,同時將周期規律化。部分女士會自行選擇各種方法來「調理」,惟若數月後未見改善,應盡快諮詢婦科醫生意見。

至於因壓力而起的月經失調,應從源頭着手,透過改變生活節奏、調整心態,與友傾訴等方式來減壓。培養健康的生活習慣,定期運動、飲食均衡、保持穩定體重及正面思維,也是積極應對的方法。

哈佛研究：經期紊亂較易早逝？

哈佛大學於2019年發表一項報告，研究人員由1991年至2013年追蹤分析約9.4萬名女性的月經周期狀況，要求參加者於14至17歲、18至22歲及28至48歲時，報告經期平均長度及規律。這些女性於研究展開前被評估為身體健康，並無隱疾；最終當中有1679人死於心血管疾病或癌症。根據研究，於14至17歲群組中，經期紊亂的一群，早死風險較其他女性高21%；18至22歲的組別當中，如果經期周期欠規律者，與經期正常的女性相比，死亡風險更可高出34%。

為何會有此情況？研究人員認為，經期紊亂多與婦科疾病有關，例如子宮內膜異位或盆腔炎等，未免對健康造成一定影響。如是多囊卵巢綜合症患者，更可能患有其他代謝疾病，如胰島素抵抗、高血壓等，由此推論，這些女性也有較大機會出現糖尿病或心血管疾病。

1.3
月經不順影響深遠

問：這幾個月來經總是失準，原本是逢月尾來的，突然又變成了月中出現，令人措手不及；而且最近「M痛」程度加劇。聽說少女月經不穩定是正常現象，所以我毋須求診，對嗎？

答：經期真令女士又愛又恨——它不來，代表身體起變化；它來了，卻又常常伴隨經期失準、經痛、經量不穩定等問題。引致月經失調的成因眾多，除了受壓力影響外，多囊卵巢綜合症、盆腔炎或性病等也可令經期紊亂。此外，如有腦下垂體腫瘤導致催乳激素過高、甲狀腺或腎上腺等出毛病引起內分泌激素失衡，也可造成閉經等。

少女由於排卵功能仍未成熟，而中年婦女因正值踏入更年期，兩者出現經期混亂也實屬普遍。倘若月經長期失調的話，就可要留意了——可能是由於久未排卵所致，或會影響成孕機會，而長期閉經也會令子宮內膜容易出現增生現象，誘發病變，長遠甚或形成癌症！

你有以下情況嗎？

→ 經痛劇烈難忍

由於排卵功能仍未成熟，少女或會偶然出現經期紊亂及經痛。

→ 於非經期日子或行房後無故出血

→ 月經周期突然變得不穩定，經量過多或過少，情況並持續3個月
  或以上

如有以上情況的任何一項，應該盡快求醫！

若要讓經期「撥亂反正」，就要對症下藥，從根源着手，才能讓月
經恢復正常；如問題持續3個月以上，或須以荷爾蒙藥物治療。要
注意的是，不管是何種原因令月經失調，女性也切勿掉以輕心。

「四季經」屬於正常嗎？

有些女生一年只來經4次，猶如每季一次，甚或次數更少，於是坊間俗稱為「四季經」。別以為「四季經」值得羨慕，正常情況下應該每月來經一次，如有「四季經」的情況，可能跟婦科疾病有關，例如多囊卵巢綜合症，隨時可致不育。因此，不管女士自少女時代已經是「四季經」，抑或是經期忽爾變得疏落，都應該接受詳細婦科檢查，解構成因。

1.4
穿緊身褲的疑惑

問：我最愛穿緊身褲（Legging），即使運動時亦會穿上，不過，也有人說不要常穿緊身褲。最近我發現陰道痕癢紅腫，分泌物亦變得混濁，兩者有關連嗎？

答：無論如何，如發現陰道出現異常情況，應盡快找婦科醫生檢查。上述情況很有可能是患上陰道炎，有機會是因為經常穿貼身褲子所致。陰道炎患者除了要服用處方藥物，亦應減少穿着這類褲子，方可讓病情紓緩。

容易誘發陰道炎

經常穿着過於緊繃的褲子，會令陰道容易滋生細菌。假如連運動時亦如此穿着，出汗時私密部位處於翳焗環境，更易受感染。若患上陰道炎，除了上述症狀外，亦可能於如廁或性行為時感到疼痛，另外白帶亦會由呈透明、無異味的狀態，變為灰白色、深黃或深綠，甚至帶有難聞的氣味。

細菌感染亦可帶來外陰毛囊炎（vulvar folliculitis），表徵是陰道兩側猶如長了青春痘，也有機會導致巴氏腺囊腫（Bartholin's cyst），當

女士經常穿着不透氣的緊身褲，有機會引發陰道炎。

急性發炎時會形成膿瘡（Bartholin's abscess），造成腫痛，令患者以為自己「熱氣」，甚至誤以為是癌症。巴氏腺的主要作用是分泌黏液，於性行為時潤滑陰道，然而當管道受阻，導致腺體分泌物無法排出，便會形成巴氏腺囊腫。（請參考本書第五章〈巴氏腺囊腫引發疼痛〉）

慎防濕疹發作

另外，經常穿緊身褲亦較易令濕疹發作，大腿內側（鼠蹊）或會形成一大片紅疹。如果患者忍不住搔癢，更會導致脫皮，甚或皮膚發炎感染。長久下去，該部位的皮膚會變得粗糙。常穿緊身褲

亦有機會令腿部血液循環受阻;若然還要穿上高跟鞋,將增加出現靜脈曲張的機會!

不過,愛美是人的天性,好此道者亦不用完全放棄心儀的穿搭,最重要是留意以下幾點:

→ 褲子用料能否吸濕排汗,首選棉、絲或麻等質料;排汗較差的人造物料如尼龍則不宜多穿。

→ 即使部分緊身褲標榜高彈性或可促進血液循環,仍不建議全日穿着。

→ 平日女生可多穿鬆身褲子,內褲多選棉質,並注意保持清潔及乾爽。

→ 有女生每天以女性潔膚液清潔陰部,此舉反而有機會將益菌洗走;其實只要每天正常洗澡已經足夠。

自行用藥易出事

不少女性懷疑感染陰道炎時,諱疾忌醫又或貪方便,會自行塗搽藥膏或服用消炎藥。然而,陰道受感染可能因細菌或真菌而引致,兩者的治療方法並不相同。如果是由細菌而起,便要服用抗生素,而真菌則需使用抗真菌藥物。如果自行用藥不當,或會令病情惡化,得不償失。

1.5
如何預防陰道炎

問：平日的白帶是略呈乳白色的，但最近卻變得像「豆腐渣」，請問我是否得了什麼婦科病？

答：剛大學畢業的Daisy難得找到夢想的廣告設計工作，自然落力非常。上班的日子她總是食無定時，睡眠不足，加上來自上司的壓力，數月下來身體愈來愈差，經常感冒發燒。最近Daisy更發現陰道出現類似「豆腐渣」的分泌物，並非平常的白帶，而且陰部痕癢難擋，終於決定求診，才發現患上陰道炎。

所謂的「豆腐渣」，就是白色、塊狀的白帶，這是陰道受感染的症狀之一。常見的陰道炎包括念珠菌陰道炎（Vaginal Candidiasis）、細菌性陰道炎（Bacterial Vaginosis）及滴蟲感染陰道炎（Trichomoniasis）：

念珠菌陰道炎：Daisy患上的正是此症，成因是免疫系統過低而導致感染；須知道壓力過大亦可令免疫力降低，她便是因這個原因而發病。念珠菌是一種原本已存在於陰道的真菌，而人體內最常見的為白色念珠菌。正常情況下念珠菌數量不多，因為有乳酸桿菌（Lactobacillus）平衡陰道的酸鹼度，有助抑制念珠菌生長。一

乳酸桿菌減少，便會令酸鹼度失衡，念珠菌有機可乘，就會造成感染。

細菌性陰道炎：多是由於月經、性行為或過度灌洗陰道後，令陰道酸鹼值失衡，導致細菌過度滋生所致。要注意的是，糖尿病患者、長期服用抗生素的女性，因免疫力下降，也會較易患上述陰道炎。另外，染上細菌性陰道炎，亦可增加罹患性病的風險。

滴蟲感染陰道炎：不安全性行為有機會帶來具傳染性的滴蟲陰道炎。滴蟲是單細胞原蟲，主要經由性接觸傳播，令患者陰道痕癢及分泌增多，顏色呈黃綠色，並帶腥臭味，部分患者更會出現小便灼痛現象，潛伏期由5至28天不等。男性亦可感染滴蟲，惟其症狀多不如女性般明顯。

女士可考慮適當服用益生菌補充劑以預防陰道炎。

益生菌可預防陰道炎

女士一旦患上陰道炎，不止會出現「豆腐渣」般的分泌物，陰道也會異常痕癢、紅腫、疼痛，甚或是如廁時亦有灼熱感，令人十分難受。

要預防陰道炎及減少復發，必先從正確治療着手。醫生會處方陰道抗黴菌塞劑或口服抗生素及外敷藥膏，以達致殺菌及減輕症狀之效。痊癒後，女性需要提升抵抗力，保持均衡飲食及適量運動之餘，也要學習減壓方法。部分生活習慣也會增加復發的風險，如：長時間穿着緊身褲，經期時疏於更換衛生用品等。至於有些女生習慣長期使用護墊，以為此舉可保持乾爽，實質若不定時更換，反而更易滋生細菌。

另外，過度灌洗陰道或使用陰道清潔液，亦會破壞陰道的弱酸性環境，更易誘發陰道炎；日常切忌濫用抗生素，以免破壞陰道細菌平衡。

患有復發性陰道炎的女士，可考慮服用益生菌補充劑，當中Lactobacillus reuteri、Lactobacillus rhamnosus或Lactobacillus acidophilus已知對預防陰道炎有一定幫助。

1.6
女人比男人更易有尿道炎

 問：前陣子有幾天小便出血，醫生診斷是尿道炎，治好之後不到一個月竟然又復發，是否女生特別容易患上尿道炎？

答：其實男性也會患上尿道炎，不過情況確實沒有女性那麼普遍。有統計指出，每兩位女性便有一名曾受尿道炎之苦，而女性感染比率遠高於男性，比例約4比1。

男女情形如此不同，與生理構造大有關係。在正常的情況下，尿道應處於無菌狀態，一旦有細菌入侵，便可引致尿道炎；由於女性尿道僅長4厘米左右，故一旦受到腸道及陰道細菌（如常見的大腸桿菌）入侵，容易到達膀胱，造成感染。而男性尿道長約10厘米，令腸道細菌較難侵擾。

此外，不正確的日常習慣亦可增加患上尿道炎的風險，例如如廁後以紙巾由肛門向前拭抹，可將細菌帶到尿道口。至於女性若平日喝水量不足、經常憋尿或性生活頻繁，也有可能招致尿道炎。

圖表1.2 男女尿道結構分別

女性		男性
	輸尿管	
	直腸	
	膀胱	
	尿道	

尿道炎可影響膀胱腎臟

一旦患上尿道炎，患者有機會於小便時感到赤痛或灼熱、尿液變濁甚至帶血，又或是尿頻而每次只能排出少量尿液。泌尿系統分為尿道至膀胱的下泌尿道，以及由膀胱經輸尿管連接兩邊腎臟的上泌尿道，故此尿道、膀胱與腎臟之間環環相扣。細菌一旦竄進尿道，便有機會往上通向膀胱，引發膀胱炎。如近恥骨位置的小腹出現脹痛，有可能是膀胱受已到感染；若出現發燒、作悶欲吐、腰背痛等情況，則表示腎臟可能亦受牽連。

很多人以為尿道炎只屬小事，其實處理不當可導致嚴重併發症。部分人會自行買藥服用，又或是置之不理，然而此舉隨時令症狀

加劇，甚或令細菌入侵腎臟，造成腎盂腎炎，病情嚴重更可引致細菌入血。因此一旦出現上述症狀，就應盡早求醫。

預防及治療方法

至於如何治療尿道炎，大部分患者在服用抗生素兩三天後症狀便會好轉，惟仍須繼續完成整個療程，以確保所有病菌被消滅。同時，患者亦要飲用大量白開水，利用充足尿量將細菌由尿道排出體外。

要有效預防尿道炎，須由改變生活習慣做起：

→ 每天飲用充足水份、避免憋尿，因水份不足和經常憋尿都不利泌尿系統健康；

→ 時刻保持下陰清潔，例如如廁後保持由前向後抹拭的習慣，切勿將附於肛門和陰道口的細菌帶到尿道口處；

→ 增強抵抗力，如保持充足睡眠、多做運動；

→ 病向淺中醫，如發現懷疑病徵應及早求醫，以免細菌蔓延而導致併發症。

1.7
為什麼膀胱炎經常復發？

問：我在一年內出現3次膀胱炎，其實這個病是否很常見，頻繁病發是否正常？

答：我們常說的尿道炎和膀胱炎，泛指婦女下泌尿道的發炎問題，皆因尿道和膀胱是相連的，當細菌進入尿道時，亦會向上抵達膀胱，故兩者大多同時發生。不少膀胱炎的病人常感尿急，小便頻繁並帶痛，偶爾混有血尿，令患者如廁也感恐懼。亦因病情反覆，這些病人常要求診，並在服藥後病情才能得以紓緩。

誘發急性腎盂腎炎

一旦患上膀胱炎，病者於儲尿時膀胱會愈脹愈痛，排尿後痛楚會減輕。此外，患者也有機會出現尿頻、排尿量少，甚或無法排清小便、小便時赤痛灼熱，以及血尿等症狀。病情嚴重更可導致急性腎盂腎炎，令患者出現腰背痛、發燒等症狀，此時採用抗生素治療刻不容緩。

而孕婦要注意，因荷爾蒙改變和抵抗力下降，她們較常人易感染膀胱炎，一旦發病便須盡快治療，否則有可能導致早產。

膀胱炎患者經常有尿意,小便時感亦痛。

間質性膀胱炎屬慢性炎症

膀胱炎雖屬常見,惟若半年內發病多於2次,又或是一年3次或以上就必須正視,皆因很可能有泌尿系統結構或功能異常,導致復發性尿路感染。

另外,有部分病人縱然有膀胱炎的症狀,患的卻是「無菌性」的間質性膀胱炎(Interstitial Cystitis, IC)。其實IC與細菌感染無關,是一種發生於膀胱內的慢性炎症。嚴重的IC患者,膀胱容量有機會縮小至正常的一半,膀胱儲尿時亦會出現猶如刀割的疼痛,故需經常小便,次數可多達一天60次,對日常生活造成諸多不便。

圖表1.3 女性泌尿系統

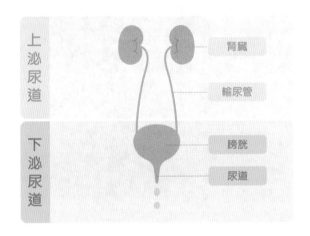

檢查與治療

間質性膀胱炎的病因不明，可能是膀胱炎後的免疫反應，或是自體免疫系統疾病導致膀胱壁保護層受損，也有推論認為是身體對某種食物產生過敏反應所致。診症時，醫生會透過尿液分析及細菌培養以摒除膀胱炎之可能，並利用膀胱鏡檢查膀胱內壁有否變化，以助診斷。

由於間質性膀胱炎與細菌感染無關，抗生素無助改善病情，而非手術方式是治療第一步。患者須學習減壓、紓緩情緒，及避免進食可誘發病情的食物如吃辣吃甜等，平時多喝水、不忍尿和減少穿緊身褲也有助改善問題。醫生也會根據病況處方止痛藥、抗敏感藥或抗抑鬱藥等。

濫藥可令膀胱萎縮

根據不少臨床觀察，濫用氯胺酮（K仔）可導致間質性膀胱炎，患者的膀胱內壁會發炎受損，膀胱容量縮小。病情輕微時，可嘗試處方藥物，以紓緩症狀及改善膀胱功能。不過，要避免病情繼續惡化，戒除不良習慣才是上策。

圖表1.4 膀胱鏡檢查圖解

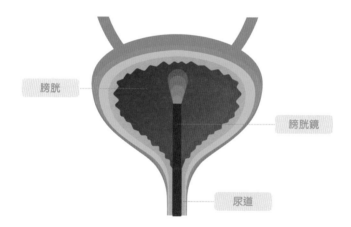

膀胱

膀胱鏡

尿道

膀胱鏡檢查有助醫生判斷患者是否有下泌尿道結構上的問題。首先，醫生會將潤滑啫喱放入尿道，然後將光纖內窺鏡經尿道放入膀胱，之後用生理鹽水注滿膀胱，令膀胱漲滿後再作檢查。如有需要，醫生會同時進行組織活檢再作化驗。

1.8
疑似盲腸炎的盆腔炎

問：腹痛除因為腸胃炎外，會源自婦科原因嗎？

答：Gi Gi最近常有不明腹痛，起初以為腸胃不適沒有理會；隨後出現月經失調及陰道分泌有異味等問題，她想到應屬婦科問題而急急就診。經檢查後，始知道是盆腔炎作怪，幸好其病情仍屬輕微，按醫生指示完成抗生素療程後，症狀已大大改善。

婦科病也可致腹痛嘔吐發燒

由於生殖系統與腸胃的位置相近，不少女性患上婦科病時，都會將痛感位置混淆，誤以為是腸胃疾病。兩者的症狀皆可以是腹痛、嘔吐或發燒，部分人會自行服用腸胃藥或到腸胃科求診，結果延誤治療。要當心的是，像Gi Gi的情況，一旦耽誤病情，或會誘發急性盆腔炎，可導致腹膜炎、敗血症甚至休克等，對生命構成威脅。

女士如有腸胃不適，並同時發現以下相關的婦科症狀，應考慮向婦科醫生求助：

→ 陰道有不尋常分泌及異味

→ 不正常陰道出血

→ 月經失調

→ 排尿時疼痛

→ 下腹有墜落感

→ 腰部痠痛

部分婦科病亦會引致腹痛、嘔吐、發燒等症狀,因此常被患者誤以為是腸胃疾病而耽誤病情。

認識盆腔炎

盆腔炎是指女性生殖器官，包括子宮、卵巢、輸卵管及周遭組織等，因感染細菌而發生炎症。在反覆發炎下，盆腔內組織會出現黏連，令輸卵管受阻造成不育，又或是導致宮外孕。不少患者雖有盆腔炎症狀卻疏忽處理，直至努力「造人」不果，檢查後才知患病。

檢查及治療

假如懷疑患上盆腔炎，婦科醫生會為患者抽取陰道分泌物作細菌培養，並以超聲波檢查盆腔可有膿腫等。同時，為盡快控制病情，醫生會先處方口服抗生素作治療。

如若病情輕微，用藥兩三天後症狀便會漸漸消退，惟患者仍須完成整個療程，否則有機會出現細菌抗藥性的風險。如患者服藥後仍有發燒及腹痛，可能需要入院接受注射藥物治療，或是以腹腔鏡手術清除膿腫。

由於盆腔炎可引致其他嚴重健康問題，無論是年輕或年長的女士也應留意。

預防盆腔炎四大貼士

1. 增強抵抗力，包括多休息及飲食均衡；

2. 注意陰部清潔衛生；

3. 性行為時做足安全措施，或維持單一性伴侶，有助減低感染風
   險；

4. 慢性盆腔炎症狀較難分辨，建議女士定期進行婦科檢查，方可
   及早察覺及處理病況。

1.9
子宮肌瘤年輕患者增

 問：聽説子宮肌瘤是媽媽級的疾病，但似乎近年有年輕化趨勢，我需要擔心嗎？

答：的確，中年女性患子宮肌瘤十分普遍，常見於40至50歲，但較年輕患者的數目也在增加。曾有30多歲的女士求診，她一向有經血過多、經痛劇烈及尿頻的問題，更因腹部隆起，被誤以為懷孕，經檢查後得悉患上子宮肌瘤。此症年輕化的原因，相信與現代女性的生活習慣與工作模式有關：

→ 精神緊張、體重超標；

→ 現代女性普遍於28歲後才結婚及生育，晚婚晚育可能令體內荷爾蒙異常；

→ 無肉不歡者因攝取過量動物脂肪而增加風險；

→ 經常服用女性保健品或抗衰老產品的女性，會造成體內荷爾蒙增加，刺激子宮肌瘤生長；

→ 母親曾患有肌瘤，患病風險會較一般人高。

子宮肌瘤直徑可達十數厘米

此症的一大成因是發育過早。有資料顯示，9歲便來經的女性發病率會高於11歲後來經的女性，這是由於女性荷爾蒙過早刺激子宮而致。

子宮肌瘤的直徑可由一兩厘米至十數厘米不等，一般會按其生長位置分為漿膜下肌瘤、黏膜下肌瘤及肌壁間肌瘤三大常見類別。據臨床數據，大約每1000宗個案才有少於一宗為惡性，以良性居多，因此毋須過分擔心。

除了部分肌瘤因其位置會影響生育而需及時處理外，大多數情況下，若肌瘤體積小又沒有明顯病徵，毋須立即切除。惟當肌瘤體積增大，身體便可能出現病徵，故此已確診子宮肌瘤的女士，須定期進行超聲波掃描監察，確保子宮肌瘤未有快速生長。

高危惡性子宮肌瘤兩大特點

1. 肌瘤增長速度快

2. 停經後肌瘤仍持續增大，甚或有不正常出血現象

圖表1.5 子宮肌瘤分佈位置圖

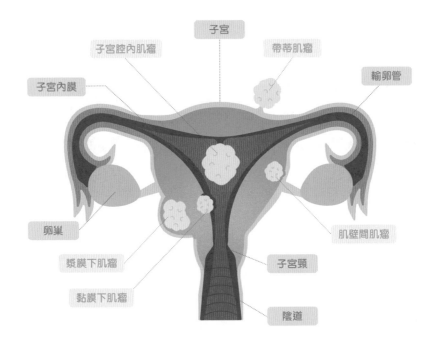

- 子宮
- 子宮腔內肌瘤
- 帶蒂肌瘤
- 輸卵管
- 子宮內膜
- 卵巢
- 肌壁間肌瘤
- 漿膜下肌瘤
- 子宮頸
- 黏膜下肌瘤
- 陰道

檢查及治療

醫生可透過超聲波及子宮腔鏡檢查是否有子宮肌瘤。治療方面，藥物仍是目前最常採用的方法。患者可透過服用止血藥物或荷爾蒙來控制經量，惟若子宮肌瘤體積太大、藥物無法控制症狀，或是懷疑子宮肌瘤屬於惡性，便須考慮進行手術治療。

手術方面,如患者無生育計劃,而年齡已屆更年期,醫生一般會建議進行子宮切除術以達根治之效;若患者仍希望保留子宮作日後生育之用,則可考慮進行子宮肌瘤切除術,惟術後的復發率可高達三成。要留意的是,部分子宮肌瘤(尤其是黏膜下肌瘤)可導致不育,故有生育打算的患者,即使未有不適症狀,亦應跟醫生商討有否切除的需要,避免影響生兒育女的計劃。

順帶一提,由於子宮肌瘤與雌激素有關,即使經過治療,停經前皆有機會復發。為減低復發風險,手術後女性應避免進食含雌激素的食物,例如雪蛤膏等補品。

1.10
公廁衛生自保法

問：有些公廁衛生欠佳，外出時我也不太樂意上廁所。到底如何在公共洗手間安心如廁？

答：雖然香港的公廁衛生已經改善良多，公共場所的洗手間亦有人定期清潔，可是總會遇上廁板有尿跡等令人不舒服的畫面。

事實上，公共廁所存在許多衛生陷阱，來自四周和糞便的細菌（如金黃葡萄球菌及大腸桿菌等），容易令女士患上尿道炎、陰道炎、膀胱炎等泌尿及生殖系統的感染；細菌亦有機會沾在廁所內的物件上，透過接觸而傳播，增加患病風險。自經歷「沙士」以後，香港市民公共衛生意識普遍已提升，其實只要用得其法，即使公廁亦可用得安心。

不可取的如廁方法

X 忍尿：有女士因為公廁太髒，只會在家裏、學校或辦公室等較為私人的洗手間才願如廁。外出時寧可少喝水，或是有尿意仍強忍，待回家後才上廁所。

女士們只要做足防護措施,在公共廁所亦可安心如廁。

然而憋尿過度是個壞習慣!因為尿液在膀胱停留時間過長,容易滋生細菌,增加泌尿道感染機會;長期憋尿會造成膀胱壓力上升,有機會令尿液倒流,影響腎臟功能;經常忍尿亦會使膀胱的肌肉過度伸展,可導致膀胱無力,弊大於利。

✗ **坐「無影凳」如廁**:為了不讓身體接觸公廁廁板,有人會踏在廁板上如廁,或是「紮馬」凌空小便。

踏在廁板上如廁,可能會令座廁破裂,造成危險;坐「無影凳」亦不宜,因為凌空如廁的姿勢會令腹部用力,長期如此會令盆骨底肌肉受壓鬆弛,容易出現尿滲問題;甚或是老年時出現膀胱無力,影響如廁。

外出如廁防護貼士

✓ **使用坐廁消毒噴劑及馬桶坐墊紙**：如果廁格內附有消毒噴劑，可以將之噴在紙巾上清潔廁板；若附有即用即棄式的馬桶坐墊紙，就更能阻隔身體與廁板的接觸。倘若沒有上述物品，亦可選擇以紙巾代替，覆蓋於廁板上，若能自備濕紙巾及酒精搓手液就更萬無一失。

✓ **把紙巾投進馬桶**：如廁時，馬桶內的水花或會濺起，有機會令陰部感染細菌。如廁前可先投一張紙巾入座廁內，以減輕衝力，防止水花四濺。

✓ **沖廁蓋上廁蓋**：香港大學於2020年發表的研究顯示，有44%的人不掩蓋沖廁。其實沖廁時所揚起的水花可沖至6呎外，因此沖廁時必須蓋上廁蓋，防止細菌及病毒飄散於空氣中。

✓ **自備紙巾**：公共廁格或會出現紙巾用光的情況。有些女士沒帶紙巾，結果如廁之後尿液弄髒內褲，帶來衛生問題，因此任何時候使用公眾洗手間也宜自攜紙巾有備無患。此外，公廁的沖水掣、門把、廁板和水龍頭都有可能沾染細菌，如以紙巾隔着觸碰，可避免弄污雙手。

1.11
膀胱也有過動症？

問：我以為「過動症」只是指小朋友的過度活躍症，究竟什麼人會患上膀胱過動症？

答：如果經常感到尿急、尿頻或有夜尿，經檢查後摒除了有類似症狀的常見疾病，如尿道炎、泌尿系統結石腫瘤、糖尿病或神經系統毛病等，就有可能是患上膀胱過動症。

任職市場策劃的Cindy經常受到夜尿、尿頻的困擾，不僅日間精神大受影響，就連短短一小時的工作會議亦須離座數次如廁，面對上司與客戶時尤其尷尬。其實很多患者也像Cindy一樣，日間排尿次數增多，尿量少卻會突然產生強烈的尿意，嚴重者一感到尿意便須馬上排尿，否則會出現尿失禁。

現時，膀胱過動症的病理機制尚未完全明確，可能是由於膀胱逼尿肌過分敏感，或大腦未能有效壓抑膀胱不當收縮，以致膀胱容量及尿液儲存量大幅減少，而此症患者以女性居多。

膀胱過動症嚴重或會影響生活,應及早治療。

檢查及治療

醫生於展開療程前,會先替患者進行尿動力學檢查(Urodynamic study)。為什麼要做測試?因為膀胱具儲存尿液和排尿兩個功能,若然其中一項出現問題,皆會造成下泌尿道症狀:若儲尿功能異常,會引致尿急、頻尿及尿失禁;如排尿功能出現問題,則會出現排尿困難和尿瀦留等情況,病情嚴重者最終會出現類似儲尿功能異常的症狀。

因此,尿動力學檢查有助醫生作出正確的判斷,鑑別患者的下泌尿系統是否運作正常。透過專業儀器,可準確測量膀胱容量、尿流速,以及膀胱壓力於儲尿和排尿時的變化,讓醫生了解患者下泌尿道症狀的成因。(請參考本書第四章〈密密上廁所的煩惱〉)。

掌握病況後，醫生會針對膀胱活動作治療，包括行為治療、口服藥物，甚或是膀胱內藥物治療等。

平日避免刺激膀胱

可幸的是，大多數個案均可透過非手術方式紓緩。行為治療包括改變喝水習慣，避免飲用含咖啡因及酒精的飲品，以減少對膀胱的刺激。患者經醫護指導下學習訓練膀胱控制尿意，逐步拉長兩次小便之間的時間，要注意這與胡亂強行忍尿是截然不同的。

藥物方面，則主要透過壓制膀胱不正常收縮以達致成效。過半數患者於服藥後能大幅改善病情，小部分病情反覆者，可嘗試於膀胱內注射肉毒桿菌毒素。

至於因其他疾病（如糖尿病）而引發的膀胱過動症狀，必須針對相關疾病作出治療。其實膀胱過動症並非自然老化現象，只要及早治療，情況將有望得到改善。

CHAPTER 2

安心輕熟女

2.1
血尿驚魂

問：近日發現小便帶血，出現類似粉紅色的液體，可是我並非正值經期，這是否代表我患上婦科病呢？很擔心啊。

答：其實造成血尿的成因眾多，較常見的是患上了泌尿系統疾病，但亦可與疾病無關，例如月經來潮、曾食用含色素的食物、飲料或藥物，例如紅肉火龍果及紅菜頭等，所以先別自己嚇自己。

另一方面，女士進行劇烈運動後，如果沒有補充足夠水分，可引致脫水，令紅血球受損，形成血尿。

圖表2.1 由疾病引起的血尿分類

分類	狀態
巨觀血尿	肉眼可見，尿液呈粉色、紅色或可樂色等
顯微血尿	尿液外觀正常，須透過顯微鏡觀察才知有紅血球存在

血尿可由不同原因造成，若出現此問題毋須驚慌，應及早向醫生查詢。

常見原因：膀胱炎或尿道炎

女士患上膀胱炎或尿道炎均有機會排出血尿，由於膀胱與尿道相連，細菌一旦進入尿道，便很容易向上抵達膀胱，是以兩種炎症經常會同時出現。

大部分情況下，膀胱炎多由細菌感染引起（常見的如大腸桿菌），惟少數病者因膀胱內壁出現毛病，導致「無菌性」膀胱炎，並出現形同細菌感染的膀胱炎典型症狀，包括尿頻、尿急、小便灼痛、下腹疼痛及血尿等。

急性膀胱炎患者，一般須接受為期3至7天的口服抗生素治療，相關症狀可望於服藥後2至3天得到改善。治療期間，患者亦應多喝水，保持排尿暢順。至於市面上所謂「一次見效」的抗生素藥物，建議應先經醫生診斷後方可使用，切勿胡亂自行購買。

圖表2.2 部分可引致血尿的疾病

疾病	症狀
下泌尿道感染（膀胱炎/尿道炎）	尿頻但排尿量少，小便時有刺痛或灼熱感，尿液混濁甚或出現血尿，也可能伴隨腹痛。
腎結石	部分病者毫無症狀，但當急性腎絞痛發作時，可造成嚴重腰痛，而痛楚也可轉移至下腹及陰部，亦會導致血尿、排尿疼痛或排尿困難等。
腎臟感染	膀胱炎或尿道炎的細菌逆行而上時，可令腎臟受感染。除血尿外，也會伴隨腰痛或高燒。
泌尿系統腫瘤（如：膀胱癌、腎癌）	小便帶血，未必有任何痛楚，如腫瘤侵入輸尿管，妨礙尿液從腎臟排出，可引致腰痛。另外，腫瘤及血塊有機會阻礙膀胱出尿的通道，造成排尿困難。

注重衞生可減復發風險

曾患尿道炎或膀胱炎的女性，日後再度復發的為數不少。歸根究柢，或許與患者的生活習慣有關，特別是進水份量與次數的多寡、排尿習慣，以及性生活是否頻繁等，女士應多喝水，注意日常生活細節，諸如如廁後應由前向後擦拭，以減少細菌感染；性行為後如能及時清潔，也助減低復發機會。

要留意腎臟感染亦可導致血尿，症狀與膀胱炎十分相似，但較常伴隨腰痛或高燒，患者若對種種症狀掉以輕心而延誤治療，或會造成併發症，影響日後腎臟功能。因此，如有懷疑，應盡速求診，以免夜長夢多。

2.2
捱更抵夜易衰老

 問：我快將踏入三十大關，最近早上化妝照鏡，驚覺臉上開始有初老的痕跡。請問醫生有沒有抗老妙法？

答：坦白說，機能老化是人生必經過程。我們不會一夜變老，可是從青年步入中年，會逐步感受到初老的跡象，尤其是曾經歷生產的婦女，更容易察覺身體的變化。

你有以下的煩惱嗎？

→ 臉部開始長出色斑

→ 出現眼紋和法令紋

→ 皮膚變得乾燥暗啞

→ 肌膚逐漸鬆弛下垂

→ 頭髮失去光澤

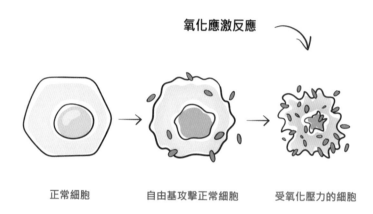

氧化應激反應

正常細胞　　　　　自由基攻擊正常細胞　　　受氧化壓力的細胞

身體內過多的自由基會攻擊細胞膜及DNA，令正常細胞受到損壞。

所謂「抗老要趁早」，如果從年輕開始好好管理身體，便能打好基礎，保持青春活力；相反，仗着年輕而對自己的健康放任不管，養成種種不良習慣，便較大機會提早衰老。

自由基是衰老原因

我們先得了解在身體老化的過程中，自由基（Free Radical）正是關鍵之一。自由基又稱為游離基，是人體在正常新陳代謝過程中產生的副產品，也可由外在環境中的紫外線或空氣污染物誘發，而不良的飲食與生活習慣，以及都市人常有的精神壓力，亦會讓身體產生大量自由基。如果不及時把它中和，便會減慢細胞更新，阻礙身體正常運作，導致各種慢性疾病，如糖尿病、心血管疾病等，當自由基的數量遠超身體所能負荷，便會氧化健康細胞

的組織,造成細胞變異或死亡。

要對抗自由基的侵害,我們就要在日常生活中進行抗氧化。坊間湧現大量標榜抗氧化的護膚品和保健品,其實與其胡亂花費金錢,倒不如先從飲食和生活習慣着手,全方位自然抗氧化。

延緩衰老可以透過飲食、運動與作息三管齊下。在開始抗氧化生活之前,先了解什麼是「不良生活指數」:

☐ 少吃蔬果

☐ 少喝水

☐ 愛吃垃圾食物、快餐和甜食

☐ 不吃早餐、食無定時、太晚吃飯、暴飲暴食

☐ 時常久坐不動

☐ 沒有運動習慣

☐ 長期睡眠不足

☐ 睡前玩電腦、滑手機,經常捱夜

☐ 又煙又酒

抗氧化生活習慣

均衡飲食:每日進食三份蔬菜及兩份水果,已能攝取足夠的抗氧化物,包括:

→ 維他命：A、C、E

→ 礦物質：銅、鋅、硒

→ 植物化學物質：多酚類、類黃酮素、茄紅素、蒜素

進食彩虹五色的蔬果，從多方面達到抗氧化的功效：

→ 紅：番茄、西瓜、士多啤梨

→ 橙黃：橙、粟米、木瓜

→ 綠：西蘭花、竹筍、奇異果

→ 藍紫：提子、茄子、藍莓

→ 白：洋葱、菇類、香蕉

少吃甜食：攝取過多糖份會導致皮膚慢性發炎，容易長暗瘡和粉刺，亦令皮膚加速老化；嗜甜更會令血糖急升，產生糖化反應，形成皺紋。

規律運動：定時進行帶氧運動，可以增強身體抗氧化，有助加強對自由基的防禦能力。要注意的是，劇烈運動其實亦會增加自由基的產生，因此定時和規律的運動帶來的效果更佳。

正常作息：我們的身體會在睡眠時製造膠原蛋白，如果長期睡眠不足，會令皮膚無法修復、變得鬆弛暗沉。

2.3
遇人不淑的代價

 問：最近發現陰道分泌有血絲及異味，如廁時亦感疼痛，會否因行房時沒有使用安全套而導致？有可能是性病嗎？

答：雖然選擇伴侶乃屬個人自由，女生仍應抱以謹慎態度。另一半若有濫交習慣，女士分分鐘受牽連而導致細菌感染，誘發盆腔炎。

生殖器官染菌誘發炎症

女性如有多於一位性伴侶，性生活過於頻繁，又或是長期進行不安全性行為，皆會增加患上性病感染（如衣原體、淋病等）和急性盆腔炎的機會，導致子宮、卵巢、輸卵管以及附近組織出現炎症。

事實上，不少女士長期患有生殖器官感染症狀，包括：

→ 陰道分泌增加，呈黃、綠或灰色

→ 陰道出現異味

→ 陰部痕癢

→ 下腹有墜脹感

→ 排尿時灼痛

→ 月經失調或有不正常陰道出血

→ 腰部痠痛

除此之外，患者也有機會出現腹痛、嘔吐或發燒，惟部分女士看待病情過於輕率，或誤以為症狀只是腸胃不適，故此延遲求醫。

患上盆腔炎或會出現腹痛、嘔吐等症狀，不少人誤以為是患上腸道疾病。

嚴重可致敗血症腹膜炎

若然生殖器官長期患有炎症,可令盆腔組織出現黏連,使輸卵管受阻,繼而有可能導致不育或宮外孕。部分患者在計劃生兒育女時,發現久久未能成孕,經檢查後才得悉有盆腔炎後遺症。根據美國疾病管制與預防中心(CDC)資料,每8名曾患盆腔炎的女士,便有1位不育。此外,急性盆腔炎若處理不當,可引致腹膜炎、敗血症甚至休克等,嚴重者可致死亡。因此,如有異常症狀,應及早向婦科醫生求醫並作詳細檢查,找出病因。

盆腔炎高危因素

→ 擁有多於一位性伴侶

→ 性伴侶也有其他性伴

→ 過往有患盆腔炎病史

→ 曾患上盆腔炎但未曾接受有效治療

→ 置入子宮環初期

檢查及治療

醫生會為懷疑個案抽取陰道分泌物化驗,及作超聲波檢查;同時會處方抗生素,讓炎症盡快減退。患者一般在服藥後兩三天症狀

會逐漸好轉，但這不代表痊癒，仍應遵從醫囑完成整個療程。假如腹痛持續或發燒不退，則代表口服藥物未必能有效消除炎症，或須入院治理，以手術方式清除盆腔囊腫。為確保能根治炎症，避免重複感染，患者也應告知性伴侶自己染病的實情，讓其接受檢查及治療。待雙方完全康復後，方可再有性接觸。

每位女性都應自愛，做足安全措施，避免不安全性行為。另外，平日保持健康生活習慣，增強抵抗力，以及定期接受婦科檢查，也有助預防盆腔炎。盆腔炎是較容易復發的婦科疾病，必須及早預防！

2.4
女醫生的飲食格言

 問：身為醫生的你，平日是否需要嚴格遵守健康飲食之道？

答：不少讀者和女性朋友也常問及我的飲食習慣，雖然談不上心得，倒可以分享一下個人經驗：

1. 不吃燕窩與雪蛤膏

雖然坊間常說燕窩、雪蛤膏等食物是美顏佳品，但我絕少食用，因為它們都含雌激素。相信很多女性都聽過子宮肌瘤（又稱纖維瘤），它是一種常見於生育年齡的良性子宮肌肉壁腫瘤。病情嚴重時，會帶來經血過多引致貧血、尿頻、小便困難、下腹脹痛等症狀，而患者於懷孕時也可因此有流產、早產、難產或產後大出血的危機。由於雌激素可加速肌瘤生長，患者應避免進食如上述等雌激素含量高的食物。

至於身體健康者亦不宜多吃，因為正常人體並不需要額外激素，攝取過量將破壞內分泌平衡，有機會導致性早熟或是癌症。

2. 選擇無激素食材

除減少進食精製肉類（例如午餐肉、香腸）外，選購肉類時，我會盡量選擇標明不含激素的產品。以往坊間一直流傳有「打針雞」，稱雞農會在雞翼、雞頸、雞腋下等部位注射激素以促進雞隻生長。事實上，現今大部分國家對畜牧業均有明確及嚴格的監管，故此只要選擇可靠的產地來源，加上購買時留意食物的包裝與標籤，便可確保吃得安心。

3. 女人不能缺鐵

不少女士因長期節食、少吃肉類，出現缺鐵性貧血的情況，引致暈眩、心悸、臉色蒼白、疲倦無力、難集中精神或免疫力下降等；而孕婦因要供應自身及胎兒所需，鐵質需求大增，是以應盡量於每餐進食含鐵質的食物，例如配合進食魚類、肉類或海產，可大幅增加從深綠色蔬菜、豆類及果仁中吸收的鐵質。此外，進食含豐富維他命C的蔬果，亦有助吸收植物中的鐵質。

4. 高糖飲食不可取

很多女生也愛吃精緻甜點，例如千層蛋糕、馬卡龍等，認為是對自己的一種獎勵。可是，嗜甜的女士要注意，如在日常飲食中攝取過多糖份，會令蛋白組織結構失去彈性，引致皮膚出現皺紋，變得鬆弛；而糖化過程中產生的自由基，更會導致發炎反應，進一步加速衰老。

女性攝取過多糖份除會令皮膚老化，亦會增加患上各類疾病的風險。

高糖飲食也可引致高血壓、糖尿病及心血管疾病等，增加患上中風的機會。據一項哈佛大學研究指出，他們經過35年的持續跟進，發現日喝兩杯或以上高糖飲品者會較易出現癌症、心臟病等健康問題，而女性的死亡風險更大增逾60%。

5. 咖啡不能過量

咖啡風潮盛行，文青女生愛泡咖啡店，也常看到白領麗人手持外帶咖啡在街上步行的風景。咖啡對健康是好是壞，正反觀點不一，歐洲心臟病學會（ESC）的研究發現，日喝4杯咖啡竟可降低

早殁風險，相信是與咖啡中含抗氧化物有關。不過孕婦或正在備孕的女性，就不建議喝太多咖啡了，因為研究發現，如懷孕期間長期攝入高量的咖啡，會提高流產、早產及嬰兒出生體重過低的風險。若女士本身有貧血、缺乏鐵質、容易骨折等問題，更應減少喝茶及咖啡。

6. 台式飲品宜走甜

台式手搖飲料是不少女士最愛，可是新加坡Mount Alvernia Hospital一項研究報告指出，一杯500毫升的黑糖珍珠奶茶，含糖量高達18.5茶匙，而報告建議成年人每日糖攝取量為8至11茶匙，足見此類飲品糖份嚴重超標；手搖飲料通常使用果糖含量高的糖漿，它會增加血液中的三酸甘油脂水平，從而誘發脂肪肝；飲品當中的奶精含有反式脂肪，也會增加心臟病和中風風險。建議一星期飲用少於兩次高糖飲品，並選擇少糖甚至走糖；當日喝過高糖飲品後，亦要減少其他糖份攝取，保持平衡。

2.5
素食女生有隱憂

 問：聽說茹素能令人更健康，也可瘦身，但我擔心此舉會令營養不均衡，究竟女生應否不吃肉只吃素呢？

答：近年素食成為世界大潮流，有人奉行Green Monday，也有人堅持每天嚴守素食主義，將蛋、奶全都戒掉。素食自有其好處，但需留意食物選擇及個別健康狀況，不宜操之過急。

素食博客也出事

來自芬蘭的Virpi Mikkonen是一名知名的素食博客，經常分享茹素心得。她茹素15年，除了懷孕時有進食肉類外，平日均以蔬果、沙律、沙冰及果汁等為主食。於2018年，她開始察覺健康出了毛病，當時才37歲的她已經有潮熱和停經的狀況，臉部皮膚不斷出疹，還經常感冒。經檢查後，醫生發現她的促卵泡激素（FSH）水平竟與更年期女性相若。

促卵泡激素的功能是促進卵泡發育和成熟，對生育能力起決定性作用，這正反映她的卵巢功能偏低，或有不育問題。後來她重新進食小量肉類，月經終於回歸正常，而精神也恢復過來。

膽固醇不足可提早更年期

為何素食有機會影響部分人的健康？原因之一是缺乏膽固醇。不少人一早認定膽固醇是壞傢伙，其實膽固醇是組成細胞膜的主要成份，是維持細胞完整的不可或缺的物質。此外，我們身體也需要「好膽固醇」——高密度脂蛋白膽固醇（HDL）來幫助抑制心血管疾病。

茹素好處不少，但亦要留意食物選擇是否適合個人體質。

膽固醇的另一重大用途，便是用來合成體內的膽汁與部分荷爾蒙，如腎上腺皮質素、性荷爾蒙（雌激素、雄激素等）。如果長期攝取量不足，便有可能提早更年期，而飲食中的肉類、家禽、魚類、貝殼類、蛋黃和奶類皆有豐富的膽固醇。

缺鐵缺鈣手尾長

女性茹素另一經常遇到的問題，是缺乏鐵質及鈣質。鐵質不足可導致貧血，使人容易頭暈、臉色蒼白、疲倦及心悸，而孕婦患有貧血更會影響胎兒發展。至於缺乏鈣質則可影響骨骼健康，會增加患上骨質疏鬆及骨折的風險。

鐵質一般可從肉類、魚類及海產中吸收，而牛奶及奶類產品（如芝士）則含有豐富鈣質。其實不少純素食品也同樣含有上述的營養素，例如豆類、深綠色蔬菜皆含有較多鐵質，若可配以含維他命C的蔬果一同進食，更能有助鐵質的吸收；至於吸收鈣質方面，西蘭花、羽衣甘藍、高麗菜、豆腐等也是不錯的選擇。

開始前先請教專家

總而言之，茹素確實好處不少，但必須用對方法；特別對於生育年齡的女性而言更要小心留意。假如要認真茹素，建議先跟營養師或家庭醫生商量，了解個人健康需要而設計合適的餐單。

超級食物受追捧

近年大熱的超級食物（Super Food），標榜擁有極高營養價值，不論茹素與否，也有莫大好處：

紫椰菜：含豐富抗氧化物維他命C和花青素，能抑制身體膠原蛋白分解，減慢皮膚衰老。要注意紫椰菜較適合當沙律食用，因為其營養會在高溫加熱後流失。

馬基莓：除含有比蔓越莓及覆盆子更厲害的抗氧化成份外，更含有植物性奧米加脂肪酸（Omega）6和9，可減少身體發炎，保護心血管健康。

羽衣甘藍：蘊含維他命A、C、鈣質及纖維等，營養豐富。另外，它含有豐富維他命K，可協助身體製造凝血因子，同樣對心血管有益。

西蘭花：含有充足的維他命C，能夠減慢身體老化及製造膠原蛋白。西蘭花亦含豐富鐵質，貧血患者不妨多吃。

2.6
女生貧血需補鐵

問：我經常面青口唇白、頭暈怕冷，前陣子打算去捐血竟被拒絕，還說我血紅素過低！其實女生是不是大多也患有貧血？

答：許多人以為女生貧血是正常不過的事，畢竟每次月事來潮也會流失一定血量。根據香港紅十字會輸血服務中心2016年的數字顯示，女性因血紅素不足暫緩捐血的比率高達16.5%，間接反映了本港貧血的女生為數不少。不過，貧血的原因可大可小，不能以為情況普遍就掉以輕心。打算懷孕者更要注意，因為懷孕期間母體需要大量鐵質，孕婦如患有嚴重貧血，有機會影響胎兒的腦部發展。

部分貧血特徵：

→ 臉色蒼白

→ 暈眩

→ 容易疲倦

→ 頭痛

→ 食慾不振

→ 抵抗力差

→ 心跳加快

→ 呼吸急促

在眾多貧血成因當中，「缺鐵性貧血」是女生最常見的情況。一是由於每月生理期或腸道出血導致鐵質大量流失，二是因為飲食習慣造成鐵質吸收不足。

月經血量過多

一般而言，女生的經量正常應少於100毫升。倘若每次月事來時均會出現凝固血塊、血崩，又或感到頭痛、暈眩、心跳加速等，就有機會與缺鐵性貧血有關。經血過多可能是因為子宮纖維瘤、腺肌瘤，又或是患有功能性子宮出血等問題，故此應盡早診治，找出病因再對症下藥。

缺鐵性貧血

城市人物質資源豐富，吃的喝的應有盡有，照理鮮有營養不足的情況出現。然而，女性如果偏食或減肥不當，有機會導致鐵質吸收不足。鐵質是製造血紅素的主要原料，而血紅素則存於紅血球

內，負責運送氧氣至身體各部分，因此鐵質不足便不能製造足夠的紅血球，導致缺鐵性貧血的各種症狀。

想像一下我們體內有個「鐵質存摺」，為了達到收支平衡，我們必須增加鐵質的吸收，同時想辦法減少鐵質的流失。

鐵質豐富食物之選

→ 紅肉（包括牛、豬、羊肉）

→ 家禽類、肝臟、魚和海產（蠔、蝦、蜆）

→ 深綠色蔬菜（菠菜、木耳）

→ 豆類（黃豆、紅腰豆、小扁豆）

→ 果仁及種籽類（杏仁、芝麻、腰果）

→ 穀物類（糙米、燕麥，以及添加了鐵質的早餐穀物產品）

雖然紅肉的血紅素鐵特別豐富，不過進食過量會增加患大腸癌的風險，因此要注意均衡吸收，並減少進食加工肉類如火腿、煙肉和香腸等。至於來自植物的鐵質，屬於較難被人體吸收的非血紅素鐵，若與肉類、魚類或維他命C一同進食能幫助其吸收。橙、柑、奇異果等含豐富維他命C，如能於餐後一兩時內進食，有助提升鐵質吸收率。

進食富含鐵質的食物，例如：紅肉、家禽等，有助改善貧血。

阻礙鐵質吸收的習慣

香港人外出用餐，習慣邊吃飯邊飲茶或咖啡，這些含單寧酸
（Tannin）的飲品或會阻礙鐵質吸收。建議用餐時改喝清水或檸檬
水；若想喝茶或咖啡的話，也盡量在飯前兩小時或飯後一小時才
喝。

2.7
從皮膚狀態看健康

 問：我以為只有青春期才會長青春痘，可是我都30歲了，最近下巴卻老是出暗瘡，到底為什麼？與荷爾蒙變化有關嗎？

答：相信大部分女士也緊張儀容，其實皮膚狀態反映身體狀況，除暗瘡外，面容顏色和肌膚問題，也許正在暗示身體出現某些毛病（包括婦科病），需要正視。

暗瘡

暗瘡不是年輕人的「專利」，而成年人的暗瘡，除了因為角質堵塞毛孔、痤瘡桿菌引起毛囊發炎、精神壓力之外，內分泌失調也是原因之一。

女士在生理期前後會出現荷爾蒙變化，經期前夕雄性荷爾蒙水平過高，會令皮脂分泌過多，造成暗瘡。此外，曾有研究顯示牛奶中的天然激素成份，亦有可能刺激暗瘡生長。女士如果面對精神壓力，也可能會引起荷爾蒙失調，導致「爆瘡」。另有研究指出，高升糖指數（GI）食物如甜食、白麵包、白飯、薯條、薯片等，會令血糖上升加快，刺激身體製造過多胰島素，導致皮脂腺活躍，

形成暗瘡。因此，轉吃低升糖指數食物、保持充足睡眠、放鬆心情等，有助改善暗瘡。

另一種常見婦科疾病多囊卵巢綜合症，是正值生殖年齡女性的常見內分泌疾病，亦會造成嚴重暗瘡問題。此病患者體內會分泌過量的雄激素，不僅令面部長出青春痘，更會影響排卵，降低懷孕機會甚至造成不育，如果伴隨經期紊亂（次數疏甚或沒有經期）、體毛多、脫髮、肥胖等，宜及早求醫處理。

面青

很多女士追求皮膚白裏透紅，可是如果看起來「面青口唇白」，那便不甚好看了！女士如看起來面無血色，可能是患上缺鐵性貧血的訊號。鐵質用於製造紅血球內的血紅素，如果體內鐵質不足，會令血紅素減少，導致缺鐵性貧血，除了臉色、口唇和指甲蒼白之外，亦會出現暈眩、易倦、免疫力下降等症狀，患者須服用或注射鐵質作補充，貧血嚴重者更需要輸血作治療。

面黃

女人最怕被人說是「黃面婆」，其實面容變黃，也有可能是肝臟生病的警號。肝臟負責分泌膽汁，而膽汁則從肝臟移除毒素。健康的肝臟會把血液中的膽紅素經膽汁排出身體，可是如果膽汁分泌功能失調，膽紅素便會積聚體內，並沉澱在黏膜或皮膚上，造

成年人或因毛囊發炎、精神壓力大、內分泌失調等原因引致暗瘡出現。

成「黃疸症」，於是皮膚會變黃，而本來白色的眼結膜就會更呈明顯的黃色。如果發現皮膚和眼白出現異常黃色，應求醫診治。

雀斑

臉頰兩旁長有雀斑的小孩看起來很可愛，然而若將其換作成年女士，大家可不會那麼想！除了美不美以外，膚色白皙、易長雀斑的人，對陽光敏感度較高，故此更易患上皮膚癌；身上有較多痣，又或癦痣出現異常變化的人亦要小心。無論是因為愛美還是為了健康，日常我們也應做足防曬措施，例如白晝外出時塗上防曬乳、穿上長袖衣服及戴上帽子，以及盡量避免長時間在戶外曝曬。

2.8
漂亮髮絲不見了

 問：我最近紮起馬尾時，感覺髮量變少了，打掃時發現枕頭和地上好像多了掉髮，令我愈想愈驚⋯⋯到底什麼程度才算是有「女人脫髮危機」？

答：踏入三十大關之後，很多女士驚覺脫髮增多，例如洗髮後有大量頭髮堵塞水渠，又或是發現頭頂分界位置看到頭皮。其實一般人每天會掉50至100根頭髮，如超過100根脫髮又或明顯覺得頭髮變得幼小，那就是警號了。

一般而言，男性型脫髮多是前額髮線向後移和「M字額」；女性型脫髮則一般由頭頂開始變得稀疏。

脫髮原因眾多

導致女士脫髮的原因有很多，例如家族遺傳、身體疾病（甲狀腺疾病、系統性紅斑狼瘡）、頭皮真菌感染、藥物影響（癌症化療藥、抗抑鬱藥、避孕藥）、飲食失調（厭食症、暴食症）等。

營養不良

有些女士長年節食減肥，食量很少，結果導致營養不良；亦有女士太過挑食，以致營養攝取不夠均衡；有些則因為月經過多而出現缺鐵性貧血，因而造成脫髮；素食女生因為戒肉而出現營養不足的情況並不罕見。

蛋白質（肉類和豆類）、鐵質（紅肉和菠菜）、脂肪酸（食用油和果仁）及維他命B雜（肉類和奶類），均是幫助頭髮健康生長的重要營養素，有脫髮困擾的女士更要留意均衡飲食。

女士脫髮可能因家族遺傳、身體疾病、頭皮真菌感染等多種因素造成。

內分泌變化

內分泌失調也有機會令年輕女性出現脫髮。常見的內分泌問題包括甲狀腺功能亢進（俗稱「甲亢」）或低下、催乳素過高或多囊卵巢綜合症等。

壓力太大

「休眠期脫髮」則與生理及精神壓力有關，例如因為工作、感情、家庭出現重大事故而造成情緒困擾，又或是身體受嚴重創傷，都有機會導致脫髮。這類脫髮一般不須治療，待壓力紓緩以後，頭髮會再開始生長。

產後脫髮

產後婦女因雌激素及黃體酮等荷爾蒙下降，增加了脫髮機會。另外部分女士在分娩過程中大量失血而導致貧血，如產後鐵質補充不足，亦可導致脫髮。有些新手媽媽為守傳統，遵從一段時間不洗髮的習俗，惟此舉可能會令毛囊發炎，使頭髮脫落。

此類脫髮一般只是暫時性的，待女性荷爾蒙回復正常水平，並輔以充足營養的攝取，大部分患者的頭髮會在產後一年內回復正常狀態。

日常頭髮護理貼士

→ 洗髮時水溫不要過熱，以免傷害頭皮

→ 減少對頭髮造成拉扯，如束髮時綁得太緊

→ 洗髮次數不能相隔太疏，否則會令油脂積聚頭皮，容易發炎

→ 避免濕髮時用力梳頭

→ 洗髮時按摩頭皮，可促進頭皮的血液循環

→ 洗髮後避免用力扭擰、摩擦或拉扯頭髮

→ 減少使用熱髮捲、直髮夾及電染頭髮

雖然坊間有售林林總總的生髮或防脫髮產品，假如出現嚴重脫髮，還是建議求醫治理，先找出脫髮原因，再對症下藥。

2.9
一支煙也嫌多

問：我由十幾歲開始抽煙，幾次戒煙也不成功。最近新婚，也打算生小孩，現在轉抽電子煙，希望藉此戒煙，你覺得可行嗎？

答：很多女性於讀書時代因為身邊朋友抽煙，或因家庭和學業壓力而染上惡習，一旦開始便停不了，後悔至今。有些吸煙女士更誤以為戒煙會變肥，以致遲遲下不了決心。

抽煙會對身體造成各種疾病乃人所共知，對女性來說，更會令容顏衰老、生育能力下降、口腔和身體發出臭味，加上二手煙又會危及家人和孩子，百害而無一利。

吸煙禍害有幾深？

成為煙民的代價是否值得，相信讀者不難判斷。以下是部分吸煙的壞處：

容貌變化

→ 吸煙可減少身體及皮膚的氧氣含量，加速老化。

→ 很多吸煙者的外表都較實際年齡蒼老，原因是尼古丁可使皮膚血管收縮，導致臉部鬆弛及提早浮現皺紋。

→ 骨膠原可讓皮膚保持彈性，偏偏煙草中的化學物質會抑制骨膠原增生，導致皮膚下垂。

→ 即使仍在壯年，煙草也可令頭髮枯黃、失去光澤，甚至出現提早脫髮或長出白髮等危機。

→ 吸煙人士的手指、指甲及牙齒較易泛黃，亦易有口臭問題，大大影響個人印象。

損害生育能力及胎兒健康

→ 如打算懷孕就要留意，因為吸煙女性的生育能力較非吸煙女性低28%，可能要花更長時間才能受孕。

→ 跟其他孕婦比較，有吸煙習慣的婦女自然流產風險可高10倍。

→ 吸煙女性於懷孕及分娩時較易出現併發症，令母子承受較大的風險，例如早產、胎盤提早剝離、嬰兒出生時體重過輕，甚至是胎死腹中。

→ 從新生嬰兒死亡率（指嬰兒出生一周內猝死）來看，吸煙孕婦較其他非吸煙孕婦高三分之一。

→ 母親於懷孕期間吸煙，子女出生後於一歲前出現哮喘的風險可高達2.8倍。

影響身體健康

→ 較大機會患上子宮頸癌、膀胱癌及口腔癌等癌症。

→ 罹患肺癌的風險比非吸煙者高10倍。

→ 可令血壓上升，長遠增加患心血管疾病危機。

對於女性來說，吸煙不但令容顏衰老，更影響個人及家人健康。

→ 減低血液的帶氧能力，心臟必須花更多能量來為身體供氧，增加心臟負荷。

→ 血液中的膽固醇及纖維蛋白素原會因吸煙而增加，令血管較易出現血塊，形成阻塞，容易引發心肌梗塞和心臟病。

→ 更年期平均提早2至3年。

→ 骨質密度下降，增加患上骨質疏鬆症及骨折的風險。

電子煙陷阱

近年許多人轉吸電子煙、加熱煙或水煙，以為它們比傳統煙草更健康無害，其實這是大大的誤解！已有研究證實，電子煙中亦含有毒物質，干擾甲狀腺分泌，影響生殖能力和胎兒發展、增加呼吸道症狀風險，甚至是導致癌症。

至於加熱煙，它亦同樣含有捲煙中常見的有害物質，包括尼古丁、揮發性有機化合物、一氧化碳及致癌物多環芳香烴等。

更危險的是，大家誤以為上述各種皆能夠幫助戒煙，實質當中的尼古丁卻一樣會令人上癮；如果抱着「對健康無害」的錯誤觀念而吸食得更多，那麼對健康的影響會更嚴重。事實上，曾有多宗國際新聞報道，顯示長期吸電子煙會令肺部嚴重受損，不可不防。

戒煙有法

很多人曾經歷戒煙失敗，於是覺得煙癮是戒不了的，其實可能只是戒煙方法用錯了。除了靠堅定的意志戒煙外，亦可使用戒煙輔助藥物，又或是參加戒煙服務。香港有許多專業戒煙輔導，由衞生署、醫管局、大學、醫院、服務機構等提供，大家坐言起行，早一日開展「無煙生活」！

有關戒煙資料，可瀏覽香港吸煙與健康委員會網頁：
http://www.smokefree.hk/

2.10
早期卵巢囊腫難察覺

問：我的閨蜜最近發現患有卵巢囊腫，由於囊腫體積太大，需要做手術切除；本人也有這個婦科病，但一直沒有感到什麼不適，是否不用理會呢？

答：女性體內子宮兩側皆有卵巢，負責製造雌性荷爾蒙及卵子；有時候其中一個甚或是兩個卵巢內都積聚了液體，便形成了卵巢囊腫。

卵泡變為囊腫

此病多數發生於生育期婦女身上，簡單而言可分為良性或惡性；臨床上，以良性個案居多，當中以功能性囊腫最常見，亦即於排卵時期出現的囊腫。卵巢內的卵泡每月會隨着荷爾蒙的周期性變化而變大，直至破開釋出卵子。可是，在部分情況下，例如卵泡沒有成功破開，反而堆積了液體，便會造成囊腫。

子宮內膜異位亦可成病

除了上述情況外，女士亦有機會患上其他類型的卵巢囊腫。例如囊腺瘤便是由卵巢上皮細胞形成，可分為黏液性囊腺瘤及漿液性

圖表2.3 卵巢囊腫圖解

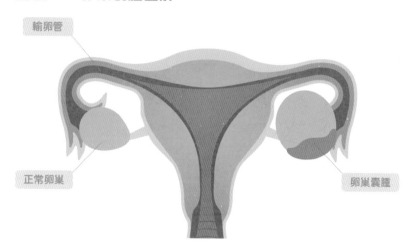

輸卵管

正常卵巢

卵巢囊腫

囊腺瘤；而畸胎瘤則是一種常見的生殖細胞囊腫，當中可找到各種組織如毛髮、牙齒、骨骼；至於子宮內膜異位症的患者，因存在於子宮外的內膜組織也會隨着周期剝落，有機會積聚成血瘤，亦有可能導致不育。

忽視病況可令卵巢壞死

別以為良性囊腫必定沒有危險性，其實任何性質的囊腫皆有爆裂或扭轉的風險，會引起劇痛及內出血，或會造成感染，嚴重的會令卵巢壞死。如有必要，醫生會建議動手術將囊腫切除。要注意的是，卵巢囊腫亦可能是惡性腫瘤，患者於術後須接受相對應的癌症治療。

卵巢囊腫症狀

→ 下腹疼痛或有重墜感

→ 月經紊亂

→ 尿頻或排尿困難

→ 腰圍變粗或觸摸到腹部有異物

→ 性行為時感到痛楚

檢查與治療

醫生利用超聲波掃描檢查可大概判斷卵巢囊腫的位置、性質及其大小，而血液檢驗中的卵巢癌指數，有助醫生分析囊腫有否惡性傾向。若經檢查後判定為良性囊腫，而直徑小於5厘米，一般可待一至兩個月後再作檢查，如囊腫已自行消退便毋須治療。

惟若患者有嚴重症狀、囊腫直徑大於5厘米時、囊腫於覆檢時末有消退，又或是於造影檢查中有惡性的可能，則建議患者應以腹腔鏡手術切除囊腫。手術過程中，醫生會按照情況，盡量保留患者正常的卵巢組織，以減少對其荷爾蒙及生育能力的影響。如已確診，患者應跟醫生商量專屬的治療方案。

2.11
女人愛瑜伽

> 問:從小到大,我就討厭運動,體能也很差,可是為了健康,最近也想鍛煉身體。想問醫生有什麼運動推薦?

答:很多女士想瘦身減磅,可是一聽到運動就耍手擰頭,其實近年流行的瑜伽,相當適合女士練習。瑜伽集減壓、健身、美顏、健康於一身,即使平時不太熱衷運動的人也不妨嘗試一下。

瑜伽是古印度源遠流長的修煉方法,除了平時練習的式子動作之外,還結合了冥想和呼吸法,博大精深;單從動作練習來說,一些瑜珈式子相信對女士尤其有益,例如能紓緩經痛和練習提肛。特別是產後婦女,因經歷了懷胎十月的孕婦階段,身體機能需要時間回復,骨盆底肌肉也因承受胎兒重量而變弱,有機會出現產後尿滲或骨盆底器官脫垂等問題,因此適量的運動非常重要。

練習瑜伽有什麼好處?

促進血液循環:增加末梢血液循環效率,有助改善手腳冰冷,令身體熱起來。

產後婦女練習瑜伽可幫助修復骨盆底肌肉組織，減少出現尿滲或骨盆底器官脫垂的機會。

強化肺部功能：瑜伽的腹式呼吸法有助吸入更多氧氣，對肺部和心臟都有好處。

放鬆僵硬肌肉：現代生活令我們長期保持同一動作，例如久坐不動、看電視、滑手機等；瑜伽着重伸展和放鬆身體，亦能鍛煉平日少用的肌肉。

訓練脊椎關節：瑜伽式子有許多前彎及後彎動作，可以訓練背肌，強化脊椎；瑜伽動作亦可活絡關節，保持行動順暢。

調整精神狀態：瑜伽的呼吸法和冥想法，令人專注當下，使大腦的波動減少，有助排解負面情緒，增強專注力。

美國國家衞生研究院（NIH）在2018年曾對部分醫學研究作出分析，發現瑜伽有機會幫助：

→ 減壓

→ 建立良好健康習慣

→ 改善心理健康

→ 提升睡眠質素

→ 改善身體平衡

→ 緩解腰痛及頸痛

→ 紓緩更年期症狀

→ 減輕因生活問題而出現的焦慮或抑鬱症狀

→ 戒煙

→ 減肥

→ 慢性病患者控制病情及改善生活質量

不過，別以為瑜伽動作比較溫和就拚命練習，其實瑜伽與其他運動一樣，練習時動作錯誤有機會帶來損傷。由於許多瑜伽式子注

重伸展身體，對身體的柔軟度要求頗高，另外亦有不少鍛煉肌肉的動作，有些學員為了追求高難度動作，又或不懂聆聽身體發出的訊號，以致扭傷和拉傷肌肉、損害關節和韌帶。

如何避免因練習瑜伽而受傷：

→ 在合資格的導師指導下練習

→ 如果是瑜伽新手，應避免勉強練習難度高的式子

→ 進行高溫瑜伽時要格外留意，避免身體過熱或脫水

→ 孕婦及有特殊健康狀況人士，應告知瑜伽導師，有需要時可避免或調整部分瑜伽式子

2.12
乳房健康與豐胸

 問：我的上圍只有 A Cup，心底裏也希望能「升 Cup」，穿衣服會好看一點，但我又不想以手術隆胸。如果恒常按摩乳房和喝木瓜牛奶，是否有助自然豐胸呢？

答：基本上，乳房大小與遺傳因素及脂肪多少有關，如果先天乳房較小，後天較難自然增大。另外，不少女士認為按摩有助豐胸，台灣更有「乳房按摩師」這一門專業，藉按摩來為女士調整胸形。

然而，西醫一般並無此說，假若過度用力按壓乳房，可傷及乳腺管周圍組織形成瘀傷，甚或是引致發炎。另一方面，乳房按摩對預防乳腺炎及乳腺癌也沒有實質幫助。

發育期後難豐胸

至於喝木瓜牛奶能豐胸的說法，其實也只是美麗的誤會。木瓜雖然含有酵素，但只可幫助分解蛋白質；至於加上含有豐富蛋白質的全脂牛奶，縱使出現「升 Cup」情況，亦只是因為整個身體內

的脂肪增加了，才會使上圍更為豐滿。因此，木瓜加牛奶實際上並無豐胸功效。

其實女性於青春期後，胸部已難再度發育，單靠飲食着實較難自然豐胸。當然，若能配合良好的生活習慣，透過適量運動讓肌肉結實，美好的身段便可得以維持。

事實上，乳房健康比起外觀重要得多，因此我常常不厭其煩地提醒大家，女性應培養定期檢查乳房的習慣。

女士宜每月進行一次乳房自我檢查，如察覺有異常情況，應盡快求診。

每月一次自我檢查乳房

每月宜進行一次自我乳房檢查，最好是在經期完結之後，於乳房並無痛楚或腫脹之下進行。自我檢查時，首先脫掉衣服，放鬆心情面對鏡子，雙手自然垂下，憑肉眼觀察是否有以下問題：

腋下：出現腫脹或淋巴結脹大

乳頭：凹陷、出血或流出異物

乳房：皮膚有凹陷或呈橙皮狀，或是形狀、大小跟以前不同，甚至出現肉眼可見的腫塊。

如發現上述情況，應盡快找醫生作詳細檢查，以策安全。

此外，我們亦可於洗澡時，塗上沐浴液後以指腹溫柔地於整個乳房打圈（可由乳房外側開始，逐步收細打圈，直至在乳頭打轉），輕按是否有硬塊。若發現不妥便要接受進一步檢查，以了解是否有惡性腫瘤抑或其他乳腺疾病。

2.13
你用對方法避孕嗎？

問：我跟男友行房時，有時候他會建議體外射精，說這樣便不會懷孕，朋友又提議使用計算安全期的方法來避孕，究竟是否可靠呢？

答：即使在這資訊爆炸的年代，也不是人人皆有正確的性知識；筆者發現，原來不少男女仍對避孕方法一知半解，即使是成年人仍會意外「搞出人命」。

安全期計算、體外射精不可靠！

除了男士使用安全套外，以安全期計算和體外射精的避孕方法較多人談論，但前者因為女性的排卵期易受情緒或身體其他狀況所影響，難以準確推測「安全日子」，而後者則因男性於射精前，或已有少量精子會連同分泌排出，有機會導致成孕，故兩者皆非避孕良方。

口服避孕丸兩大選擇

現時的避孕丸共分兩類，一類屬混合式的荷爾蒙避孕藥，內含雌

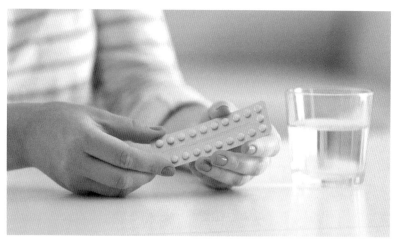

醫生一般會根據個別女士的身體情況，處方合適的避孕丸。

激素及黃體酮，可抑制卵巢排卵，令宮頸黏液變稠，達至阻礙精子進入子宮的功效；另一類則僅含黃體酮成份，主要提供予不宜使用雌激素的女性，又或是正在餵哺母乳的媽媽。部分女士服藥初期或會出現噁心、嘔吐、頭痛、乳房脹痛、體重略增、輕微暈眩等症狀，一般數星期後便會消失。

避孕針劑夠方便

避孕針劑屬較便利的選擇，毋須每天用藥，女士只需於月經來潮的首5天內注射第一劑避孕針，其後定期注射，便可抑制排卵，達至避孕。若能按時接受針劑，避孕的成功率可高達99.7%，惟要

留意的是，逾六成女士（特別是單一荷爾蒙避孕針使用者）會於注射針劑期間出現經期紊亂；部分女士於長期注射後會出現閉經情況，並在停止注射後一年內才能恢復生育能力，故仍有生育計劃的女士宜多加考慮。

子宮環佩戴簡單

對於並無生育考慮的夫婦，佩戴子宮環不失為一種合適的選擇。放置子宮環過程簡單，毋須麻醉，而且避孕成功率可高達98%至99%，佩戴後亦不影響性生活。不過，婦女於放置子宮環後數天，或會有輕微陰道出血，分泌量也會較多，而佩戴子宮環初期經血流量會稍增多，並會有輕微經痛，然而這些現象之後會慢慢消失。

結紮手術永久避孕

說到永久的節育措施，當數女性結紮手術。原理是透過外科手術，將雙側輸卵管結紮及切斷，以達至永久性避孕的目的，成效幾近百分之百。除非結紮後的輸卵管罕有地再復通，否則成孕機會微乎其微。故如有任何顧慮，均不宜進行此等永久性的手術，以免日後徒添煩惱。

CHAPTER 3

做個好孕媽媽

3.1
每6對夫婦1對不育

問：經常聽朋友說，現在不育的情況很普遍，是真的嗎？若已有計劃生孩子，應該馬上看醫生了解自己有否生育阻礙，抑或先努力一陣子，如無法懷孕再求醫呢？

答：小莉結婚時才30歲，跟丈夫也喜歡熱鬧的小家庭，但生孩子一事未算急切，所以沒有特別在意，只是選擇不避孕，順其自然。沒想到3年過去，小莉始終沒有懷孕。眼看自己快到35歲，她開始焦急，決定與丈夫一起找醫生檢查，最終發現原來自己一直患有多囊卵巢綜合症。經治療後不久已成功懷孕，令她十分欣喜。

很多女性跟小莉一樣，憧憬婚後生兒育女卻事與願違，甚至因為一拖再拖，因而錯過懷孕黃金時機，成為了高齡產婦，更增加生育難度。資料顯示，原來每6對夫婦就有1對不育，能夠當上父母並非必然。

不育定義：
跟配偶有正常性生活，一年內沒有使用避孕措施仍無法自然成孕已算是不育，此時應尋求專業人士協助。

如計劃懷孕，應何時進行身體檢查？

有意生育的女性，一般建議提早一年準備，包括進行身體檢查、改善飲食習慣、戒煙和戒酒等。準備懷孕的半年前，夫婦應諮詢家庭醫生意見，了解各自的遺傳史、家族病史及病歷，此舉對於幫助女性受孕、判斷孕程中的身體變化，以及將來了解寶寶的健康狀況均十分重要。至於身體檢查，則應包括檢測傳染病類別中的乙型肝炎、德國麻疹、性病，以及部分遺傳疾病，如地中海型貧血。

三成不育原因來自男方

在封建社會，很多人都將不育歸咎於女方，幸好這種觀念現在已日漸消失。其實在不育的個案中，大約三成原因與女方有關，另外三成則因男方而起，剩下的是男女皆有問題或原因不明。男方不育，主因與精子的製造或輸送有關，例如精蟲數量不足、精蟲形態出現問題或輸精管閉塞等。至於女方不育因素則可以來自多方面，例如排卵異常、輸卵管閉塞或子宮結構不正常等，以及其他婦科疾病（可參考本書第四章）。

比較少見的是先天染色體問題，例如女性獨有的特納氏綜合症（Turner Syndrome），患者出生時體內缺少一條X染色體（45XO），影響卵巢發育及身高基因。典型特納氏綜合症患者有明顯的外觀特

徵,如身材矮小、小頜(俗稱「短下巴」)及蹼狀頸等。部分患者外表正常,身形看似較嬌小,卻患有卵巢及性器官發育不良等而不自知。另有更罕見的情況,是患者有着女性的外貌與特徵,在基因上卻是「男性」,所以沒有生育能力。以上案例皆要通過基因測試來確診。

不育成因眾多,若與生理有關,應把握時間接受專業治療,因為女性隨着年齡增長,不育機會率也會上升。如已年屆35至40歲,於努力一年後仍未能令肚皮隆起,等待自然懷孕未必是合適方法,夫婦雙方應考慮接受詳細身體檢查,查找原因。

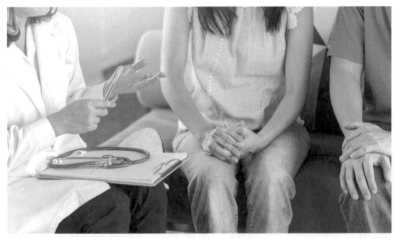

準備生育的夫婦宜提早接受身體檢查以保胎兒健康。

圖表3.1 部分針對不育問題的檢查

女性	男性
• 尿液檢驗排卵工具	• 精液分析
• 血液荷爾蒙檢驗	• 血液荷爾蒙檢驗
• 超聲波檢查	• 染色體分析
• 子宮輸卵管造影術	• 男性生殖器官造影
• 腹腔鏡手術及染劑檢查	
• 子宮腔鏡檢查	

*須按個人情況及醫生臨床診斷，再決定採用何種檢查方法。

3.2
媽媽唔易「造」

問：我們兩年前開始努力「造人」，希望快點可以生兒育女，但如今肚皮還是沒有半點反應。我今年已32歲，是否該與丈夫看醫生，了解到底喺裏出問題呢？

答：不育原因眾多，男女皆可出現問題，如懷疑不育，雙方應同時接受檢查找出原因。假如久未成孕或出現婦科症狀，問題可能來自女方，便應尋求婦科醫生協助。一般來說，女性較常見的不育原因包括：盆腔發炎、催乳激素過高和患有多囊卵巢綜合症等。

盆腔發炎

女性各種生殖器官，包括子宮、卵巢、輸卵管及周邊組織等受感染而引致炎症，皆可稱為盆腔發炎；長期發炎使盆腔內的組織出現黏連，令輸卵管受阻，引致不孕或出現宮外孕。症狀包括陰道出現異味與不尋常分泌、流血、月經失調、下腹呈墜落感、腹痛或腰痠痛、排尿疼痛等。

要確診盆腔炎，醫生須抽取患者的陰道分泌物化驗，並利用超聲波檢查盆腔是否有膿腫；為盡速控制病況，一般會同時處方抗生

月經失調、腹痛等可能是盆腔發炎的症狀，嚴重可影響女士生育。

素。病情較輕者，症狀大多於用藥後兩三天會逐漸消散，惟仍須完成整個療程，避免出現細菌抗藥性的風險。

催乳激素過高

催乳激素為腦下垂體所分泌的荷爾蒙，激素過多會導致卵巢不排卵，也可能令乳頭出現奶狀分泌物；若同時發現腦下垂體腫瘤，則有機會壓迫視覺神經而影響視力，收窄視野。若女士久未成孕，醫生懷疑其患上催乳激素過高時，便須作驗血檢查。患者一般可透過用藥抑制催乳激素；至於腦下垂體腫瘤患者，如發現腫瘤體積變大或視力受影響，則須考慮接受手術把腫瘤切除。

多囊卵巢綜合症

正常卵巢的卵泡會於排卵周期漸漸變大，直到增長至約20毫米，就會釋出一顆成熟卵子；惟多囊卵巢綜合症的患者卻因此病導致荷爾蒙失衡，影響排卵功能。即使在超聲波診斷中普遍可見大量卵泡，然而這些卵泡未能正常發育釋出卵子，故造成「無排卵」的狀態。

現時醫學界仍未能全面了解多囊卵巢綜合症的成因，惟發現有家族遺傳的趨勢。此外，患者的細胞會抗拒胰島素，情況跟糖尿病

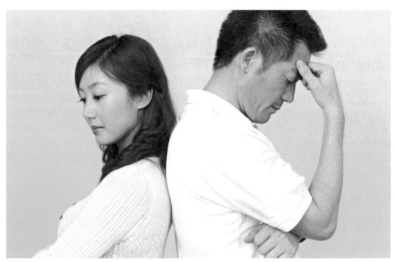

不育原因可來自男女雙方，如有懷疑，建議及早詢問醫生。

相似。多囊卵巢綜合症患者多有經期失調的情況，部分患者須採用荷爾蒙治療。值得一提的是，對屬於肥胖型的患者，如能控制體重，亦有助卵巢恢復正常排卵。

其他原因

除了上述原因，一些先天子宮異常或子宮肌瘤體積較大的女士也會較難成孕。曾接受人工流產或宮外孕手術的女士，亦可能因盆腔感染導致輸卵管閉塞，造成不育。

其實女性不育的原因眾多，也可能並非單一因素引起，故此若一年內沒有避孕仍無法成孕，或是發現有上述疾病的徵兆，較穩妥的做法是向家庭醫生查詢，評估是否有進一步檢查的需要。

3.3
子宮內膜異位可致不孕

 問：我自20歲開始，每次來經也會腹痛，有時吃了止痛藥也不奏效，還要請假臥床一整天。聽說經痛厲害的女人，將來懷孕或會有困難，是真的嗎？

答：女性的經期狀況與成孕機會息息相關，曾有個案主角受劇烈經痛困擾多年，對此習以為常。及至婚後夫妻努力「造人」兩年仍未成孕，求診後始知是因子宮內膜異位症引發「朱古力瘤」，影響成孕。幸而她在接受手術後3個月，便能成功自然懷孕。

卵子無法經輸卵管到達子宮

子宮內膜是子宮內層的表皮，一旦生長至子宮以外的器官或組織，便屬子宮內膜異位症。由於子宮內膜異位會引起黏連，令卵子未能順利通過輸卵管到達子宮受精，因而減低受孕機會，甚至不孕。較罕見的情況是，子宮內膜異位出現在膀胱、腸道等其他器官或位置。

至於「朱古力瘤」，則是指在卵巢、輸卵管或骨盆腹膜因子宮內膜異位症引起的腫囊。由於它不一定引起痛楚，故常在準備懷孕前的

圖表3.2 子宮內膜異位常見情況

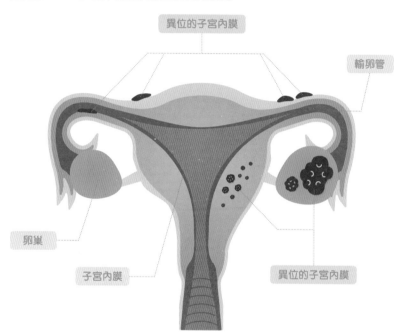

異位的子宮內膜

輸卵管

卵巢

子宮內膜

異位的子宮內膜

身體檢查時發現；當腫囊破裂時，內裏的液體會流進體腔，導致劇痛及形成黏連（請參考本書第一章〈少女也有婦科病〉）。

收經後病情始改善

一般相信此症有家族遺傳的趨勢，並常發生在處於生育年齡的女士身上；患者多為30至40歲，未婚或未曾分娩的女性，而生育後

的婦女患病機率較低；病情會隨患者收經後得到改善。在月經周期內，子宮內膜會逐漸增厚及充血，若卵子沒有受精，子宮內膜便會分解剝落，成為月經；生長於子宮外的子宮內膜亦會跟隨周期變化腫脹及出血，令血液積聚在體腔內，引致發炎及痛楚，亦可形成黏連，影響器官正常運作。

醫學界尚未確定子宮內膜異位症的真正成因，但推斷是由於經血逆流，令內膜細胞隨逆流的經血，從子宮經過輸卵管走至卵巢及盆腔所致。

常見症狀包括經痛、經期時下背及盆腔痛等，惟不少婦女誤以為經期不適是正常現象，又或只是「體虛氣弱」，未有正視問題，因而延誤求醫。

檢查及治療

如有上述症狀，建議女士可接受盆腔超聲波掃描檢查（請參考本書附錄〈婦科檢查入門篇〉）。治療方面，主要採用荷爾蒙藥物（口服避孕藥及黃體酮注射等）或手術，或是兩者合併的治療。手術主要將部分異位組織及朱古力瘤切除，一般可以微創方式進行；惟若已多次復發並已屆更年期，則可考慮將雙側卵巢切除。有患者曾多次接受切除朱古力瘤的手術，影響受孕機會，即使多次接受人工受孕亦告失敗，可見愈遲就醫問題愈大。女士如有懷疑可考慮接受腹腔鏡檢查，及早確診及治療。

圖表3.3 子宮內膜異位的治療方案

	荷爾蒙藥物治療	手術治療
考慮因素	朱古力瘤較小，直徑約3厘米或以下，加上患者仍然年輕、未婚或未生育，日後仍有生育意願。	朱古力瘤較大，直徑約5厘米或以上，而且症狀明顯，影響日常生活。如不打算再生育並屆更年期，則可考慮將雙側卵巢切除。

*治療方案須按每名患者的病況及個別因素而定，上述只為概括內容，如有任何疑問應先諮詢醫生意見。

3.4
解構多囊卵巢綜合症

問：我一直沒有留意來經情況，更懶理經期準不準。婚後開始關注婦科話題，聽說多囊卵巢綜合症會導致不孕，真擔心自己是否屬於「難孕體質」！

答：許多前來求診的女士也有類似的心路歷程：隱隱知道自己的生理狀況與教科書所說的「正常」有點差距，可是又覺得「很多人月經也會不正常」，又或怕麻煩，諱疾忌醫。要知道，經期狀況絕對會左右懷孕機會，如果正計劃生小孩卻未如願，最好是向醫生諮詢並作詳細檢查，找出病因對症下藥。

經期疏落兼胖難成孕

要判斷有否患上前文提及的多囊卵巢綜合症，單從一兩項表徵難以下定論。除了不孕和月經不固定（多於3個月沒有來經）之外，若同時出現臉部和身體毛髮增多，頭髮稀疏易斷，或是狂冒暗瘡和粉刺，體重增加又很難減磅等，就要特別注意了。由於上述症狀成因眾多，因此許多人根本沒想過自己「中招」。而當中的「月經不順」和「難以成孕」是較常見多囊卵巢綜合症患者的求診理由。

圖表3.4 正常卵巢與多囊卵巢對比圖

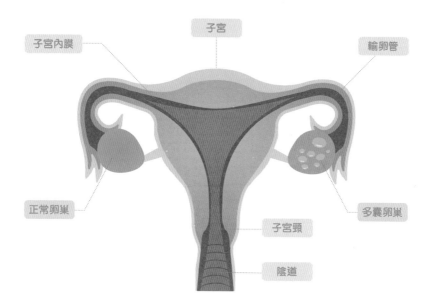

子宮

子宮內膜

輸卵管

正常卵巢

多囊卵巢

子宮頸

陰道

多囊卵巢綜合症常見症狀

→ 體胖

→ 常長暗瘡

→ 經期紊亂

→ 唇上、腹部、腋下位置較多體毛

簡單來說，多囊卵巢綜合症是一種內分泌疾病，大概每10位女性就有1人受此症困擾。患者因荷爾蒙失調無法正常排卵，有機會導致不育。在正常情況下，女性體內會定期釋出卵子，與精子結合才能成孕。多囊卵巢綜合症患者則無法正常排卵，在超聲波檢查中可發現其卵巢表面布滿卵泡。

雖然此症看似不太影響日常生活，然而如果置之不理，或會增加患上其他疾病，如糖尿病、高血壓、心血管疾病，甚至是子宮內膜癌的風險，實在不容忽視。

若要確診多囊卵巢綜合症，醫生須了解女士的來經狀況，例如月經是否疏落甚至閉經，身體有否反映男性荷爾蒙過剩的症狀，包括暗瘡過多、皮膚偏油及面毛較多等，再配合超聲波檢查才能作出判斷。此外，不少患者體重超標，亦出現胰島素抵抗，影響排卵。

不管是否打算生育，女性若長期經期失調將增加患上子宮內膜癌風險，因此，如有類似病徵應盡快求醫，一般來說，荷爾蒙治療可助調經，令經期回復規律。

多囊卵巢綜合症患者如打算懷孕，可利用口服或注射荷爾蒙藥物來協助排卵，惟此方法有機會導致多於一粒卵子排出，增加懷上雙胞甚至三胞胎機會。如上述方法未奏效，則可考慮接受手術——腹腔鏡輔助卵巢打孔術。醫生透過腹腔鏡觀察卵巢，並於卵巢表面打孔幫助排卵。不過，因手術過程可能有出血、感染或令鄰近器官受傷等風險，所以目前仍以藥物治療為首選方法。

兩招助紓緩症狀

除了藥物治療，女士如能建立起良好的生活習慣，也有助緩解因多囊卵巢綜合症而出現的相關症狀。

運動減重

多囊卵巢綜合症患者當中，過半數有超重問題（BMI≥23）；有研究指出，減重有助降低胰島素抵抗和男性荷爾蒙過剩的影響，回復正常排卵狀態，從而調整月經周期。

低升糖指數和高纖飲食

低升糖指數飲食可令身體的胰島素分泌趨向穩定，而高纖食物也可協助減重，因此患者應對膳食選擇多加留意。此外，有研究發現多囊卵巢綜合症患者血液內含鋅量會比正常女士為低，從飲食上攝取鋅或能減輕部分症狀。

3.5
孕前四大必備營養素

問：我正計劃當媽媽，好友提醒說現在就要補充身體營養，請問是否必定要從補充劑（Supplements）中攝取呢？預備懷孕必須攝取哪些營養素？

答：為讓胎兒從母體中獲得優質全面的營養，女性於備孕期間應攝取適當的營養素；一般而言，如能在日常保持均衡飲食，已能獲取大部分所需營養，但有部分孕期必要的營養素，則要靠服用補充劑來補足。另外，如準孕婦為全素食者，攝取的維他命B12、鈣、鐵及奧米加3脂肪酸（如DHA）等或有不足，最好尋求專家意見。

葉酸 促進寶寶腦部及脊椎發展

孕婦必須的營養素，相信葉酸最為人熟悉。女士計劃生育前便要開始服用葉酸，並持續至最少懷孕後首3個月。如果孕婦攝取葉酸不足，會導致神經管缺陷（Neural Tube Defects），如脊柱裂（Spina Bifida）或胎兒腦部發展異常。

葉酸是維他命B的一種，於深綠色蔬菜如菠菜、西蘭花、秋葵、以及木瓜、牛油果及豆類等皆可攝取。由於天然食材中的葉酸，

於高溫烹調時會有一定的流失，而人體的吸收率也不高，因此仍建議備孕女士額外服用葉酸補充劑，以達致每天最少400微克的要求。

碘 助胎兒製造細胞與腦部發育

為讓胎兒腦部正常發育及製造必要細胞，備孕時也須攝取充足的碘，一般可於藻類、甲殼類動物、蛋/蛋類製品、奶/奶類製品中獲得。成年人每天需要有150微克碘，而孕婦每天所需更高達250微克，故未必能從天然食物中得到足夠份量，如有意懷孕的女士，不妨選擇加碘食鹽（Iodised Salt）作烹調之用，或是服食碘質補充劑。

鈣 維持母親胎兒骨骼健康

在懷孕期間，胎兒會從母體攝取鈣質，若準媽媽鈣質不足，不但會影響胎兒骨骼發展，更有機會引起妊娠高血壓或妊娠毒血症，甚或誘發早產或難產。長遠而言，缺鈣也會令女士提早出現骨質疏鬆。奶/奶類製品、豆漿、豆製品及深綠色蔬菜都含有豐富鈣質；建議女性每天攝取最少1000毫克鈣，上限為2500毫克，只需保持均衡飲食的習慣便能達標。若能每天曬太陽15分鐘，吸收維他命D，更能促進鈣質吸收。

鐵 助胎兒及媽媽造血

不論對胎兒抑或母親而言，鐵質有助血液、肌肉及細胞的製造，母親每天應攝取最少27毫克鐵質，上限為45毫克。不少女士早有缺鐵問題，患有貧血而不自知，因此如有懷孕打算，應多加留意鐵質的攝取量是否足夠。日常飲食中，肉類、蛋、豆類及深綠色蔬菜已含有豐富鐵質，女士亦可同時在膳食中加入維他命C，有助身體吸收鐵質。另外，咖啡及茶類會阻礙鐵質吸收，少喝為妙。

助孕小貼士

除補充合適的營養素外，體重管理亦有助成孕——體重在正常範圍內的女士受孕機會會較高，而孕程中出現併發症的機率亦較低。體重過輕者，容易導致早產及誕下過輕嬰兒；過重或肥胖者，則較易出現妊娠毒血症、高血壓、妊娠糖尿病等併發症，故後者在預備懷孕前，應先透過飲食調節及適當運動來控制體重，令未來孕程更順利。

此外，規律生活與定期運動既能改善健康，又有助減輕壓力，有利成孕。至於有吸煙習慣的女士則應盡速戒煙，亦宜遠離家人的二手煙；與友把酒歡聚時，也應小酌為佳。只要身體機能健康，內外準備妥當，小生命的到來便指日可待。

小心！維他命A過量可致畸胎

若孕婦考慮服用營養補充劑，宜先諮詢醫生或營養師的意見，切忌胡亂服用，否則或會有反效果。例如，維他命A可促進細胞生長，維持免疫系統的正常運作；吸收不足會導致夜盲症、貧血、胎兒生長遲緩等問題，故孕婦每天應攝取800微克維他命A。但孕婦切忌過量攝取，否則會導致胎兒出現缺陷。

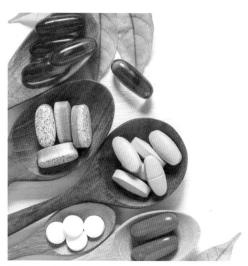

孕婦可根據醫生指示，服用營養補充劑以攝取身體缺乏的營養素。

3.6
減輕孕吐小貼士

問：剛懷孕3個月，令我最苦惱是常有孕吐，有時上班期間突然會想作嘔，相當阻礙工作。到底如何能夠停止孕吐呢？

答：懷孕期間，準媽媽有機會因荷爾蒙如雌激素、黃體酮、人絨毛促進性腺激素及催乳激素改變，導致身體出現變化及各種症狀，帶來種種不適，甚至影響心情。其中在懷孕初期最常見的反應便是孕吐，懷了多胞胎的女士，嘔吐情況更見明顯。

據傳媒報道，英國的凱特王妃（Kate Middleton）便曾因為懷孕時出現妊娠劇吐症狀而要取消公務出行。孕吐反應因人而異，並非所有孕婦也會有害喜現象，卻也不一定到了第二胎便會好轉，就像凱特王妃第三次當媽媽仍有不適。

吃酸止嘔或適得其反

談到止嘔方法，很多準媽媽會選擇吃酸味食物，此舉卻非人人有效。部分人因為吃得酸味食物太多，反而令胃酸增加，嘔吐大作。

孕婦如大量進食涼果或酸味糖果，會吸收過多糖份而使血糖上升，增加患上妊娠糖尿病的風險，情況嚴重可導致早產或難產，寶寶長大後也較大風險出現糖尿病或心血管疾病。再者，精製食品通常含有防腐劑及調味料，對胎兒亦沒有益處。準媽媽可選擇較天然無添加糖的果乾或檸檬水，既可止「心癮」也較健康。

另一方面，進食乾身食物如麵包、餅乾，以及含有豐富碳水化合物的食物如薯仔、麵條等亦可減少嘔吐。雖說孕婦應盡情享受喜愛的食物，讓自己心情愉快，但對於煎炸或肥膩食物則應適可而止。

少食多餐可減症狀

至於有準媽媽為免嘔吐，寧願減少進食，此方法並不鼓勵。如此一來不僅讓胎兒及孕婦本身無法得到足夠營養，也可能因空腹太久導致脫水，甚或電解質不平衡，加劇不適。正確做法是少食多餐，每餐別吃得太多，以免反胃。此外，準媽媽每朝起床時因胃內食物已消化，或會因空肚而作嘔作悶，這時可先吃餅乾或小麵包等，待感覺轉好後才下床活動。

除由飲食習慣着手外，改善家居環境也有助減少孕吐，例如同住的家人應避免在居所內抽煙，因二手煙既會影響胎兒與母親的健康，難聞的氣味也令人難受。準媽媽更需要充足的休息，太累的話也容易感到頭暈和作嘔。

懷孕初期的孕吐屬正常反應,毋須過分憂慮。

雖然孕吐是常見現象,但若情況嚴重令準媽媽無法進食,便應尋求醫生幫助。醫生會按個別情況處方止嘔藥物,紓緩情況。一旦出現嚴重脫水現象,如小便變深褐色或尿量減少、體重下降,或是電解質不平衡,則要盡快入院治理,以免危及孕婦和胎兒健康。

3.7
妊娠過程三大危機

 問：我屬高齡產婦，現懷孕三個多月，幸好一切指數正常。經常聽說如有妊娠糖尿病、妊娠高血壓或妊娠毒血症等會很危險，我也有點擔心。到底如何才知自己是否患病？

答：曾經有人說過「懷孕是一件兇險的事」，雖然這個說法未免太誇張，但女士在懷孕期間確實要面對不少挑戰。若孕婦屬高齡產婦，在懷孕前身體早有健康問題，又或是家族中有重要的遺傳病史，則在懷孕期間更須注意身體狀況。

妊娠糖尿病

很多準媽媽聽到妊娠糖尿病便很擔心，因為此症可引致胎兒過大，造成難產，亦會增加畸胎的風險，更可能導致早產甚或是胎死腹中。

此症一般在妊娠中期出現，主因是由於懷孕時，母體會分泌抗衡胰島素的荷爾蒙，然而孕期的營養補充又同時增加了身體對胰島素的需求，結果導致體內胰島素不足而令血糖不穩，引致妊娠糖尿病。

症狀

妊娠糖尿病多沒有明顯症狀，不過孕婦如發現以下「三多一少」的狀況，則宜盡快諮詢醫生：

→ 吃喝份量和排尿量增加，但體重減輕

→ 食量不大，但產檢時尿糖測試呈陽性

危險

→ 約4至6%的胎兒有畸形發展

→ 增加患上妊娠毒血症的風險

→ 會導致羊水過多、早產，甚至胎死腹中等情況

→ 因胎兒過大導致生產困難甚至難產，或須提早接受剖腹生產

→ 新生嬰兒較大機會受感染，或出現黃疸、呼吸窘迫症候群（Respiratory Distress Syndrome, RDS）及血糖過低等問題。寶寶長大後患糖尿病及心血管疾病風險亦會較高。

高危一族

→ 肥胖

→ 有糖尿病家族史

→ 曾患妊娠糖尿病

→ 曾生產超過4公斤的嬰兒

→ 高齡產婦

→ 多囊卵巢綜合症患者

此外，如果孕婦以往食量大、又愛吃油膩食物，加上缺乏運動等，會較易令體內血糖偏高而引發妊娠糖尿病。建議改為少量多

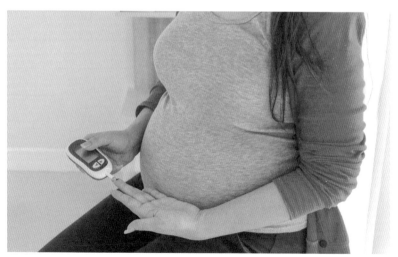

孕婦懷孕期間如患上妊娠糖尿病，應根據醫生指示控制血糖。

餐，飲食宜以高纖清淡為主，並控制碳水化合物的吸取。孕婦亦應進行適量運動如餐後散步，以助保持血糖穩定。至於病情較嚴重者，醫生會按孕婦的血糖值，處方口服糖尿藥或胰島素注射，以控制血糖在正常範圍內。

妊娠糖尿病大多屬暫時性質，一般產後血糖指數會逐漸回復正常。不過，曾患此症的孕婦日後會有較高機會患上糖尿病，因此產後也應注意飲食並作適量運動。如準媽媽有任何懷疑，應與醫生商量是否需要作進一步檢查。

妊娠高血壓

一般是指於懷孕20周後才出現的高血壓，如果孕婦的收縮壓長期高於140mmHg，或舒張壓高於90mmHg，便已屬於異常。

症狀

早期症狀不明顯，但如有以下情況，即代表病情已有惡化跡象，有機會發展成較嚴重的妊娠毒血症：

→ 體重過度增加

→ 蛋白尿

→ 全身水腫（由下肢開始）

→ 頭痛

→ 噁心嘔吐

→ 視力模糊

危險

→ 孕婦有較高機率出現腦血管及微細血管問題（如：中風）

→ 可致胎盤過小、出血或脫落，令胎兒無法吸收足夠營養，增加
　早產風險

高危一族

→ 首次懷孕

→ 孕婦年齡少於20歲或大於40歲

→ 懷有多胞胎

→ 患有糖尿病或慢性腎病

→ 有妊娠高血壓病史

患有高血壓的孕婦應定時檢查血壓指數，由醫生按病情提供血壓
藥物，並檢查有否出現脂肪肝、高膽固醇、高血糖及腎功能異常
等問題。

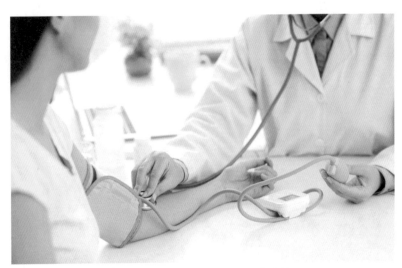

妊娠高血壓早期症狀不明顯，不少人發現時已出現惡化跡象。

妊娠毒血症

本港每100個孕婦就有1至2人患上妊娠毒血症，普遍認為是因孕婦的胎盤形成及發育異常，導致子宮與胎盤的血液循環不足，亦影響了對胎兒的血液供應。

症狀

此症的症狀與妊娠高血壓相似，早期未必有病徵，但若出現以下情況，孕婦須加倍留意：

→ 水腫（特別是面部及上肢）

→ 高血壓（收縮壓高於160mmHg或舒張壓高於110mmHg）

→ 蛋白尿

→ 嚴重頭痛

→ 上腹疼痛

→ 嘔吐

→ 視力模糊或出現閃光

危險

→ 孕婦可能出現子癇（即妊娠毒血症誘發的癲癇症狀）、肝腎功能
衰竭、中風，或因血小板數量下降導致凝血障礙，直接對孕婦
的生命構成威脅。

→ 胎兒可能發育遲緩、早產甚至胎死腹中

高危一族

→ 首次懷孕

→ 高齡產婦

→ 肥胖

→ 懷有多胞胎

→ 是次懷孕與上胎相隔10年或以上

→ 本身患有糖尿病、慢性高血壓或紅斑狼瘡症

→ 孕婦本人或近親有妊娠毒血症病史

如出現任何妊娠毒血症疑似症狀，不能掉以輕心，應立即求醫處理，並多作休息；孕婦如想預防此症，建議可作適量運動及攝取足夠鈣質。至於高風險孕婦，則可在醫生評估後服用阿士匹靈，以減低妊娠毒血症的發病率。

雖然懷孕過程中充滿着變數，但準媽媽只要保持心境開朗、維持均衡飲食及作適量的運動，也就不需過分擔心。

3.8
孕婦最怕的流產噩夢

問：好友知道懷孕後便興奮地告訴我們，沒想到不久傳來已流產的消息，她更自責是否因為太早將懷孕一事告知別人，令寶寶「小器」。為何好端端的，胎兒卻無故失掉呢？

答：嘉雯自懷孕第8周起，持續流血了1周。她於是到醫院接受檢查，始發現胎兒已無心跳，傷心不已。醫生解釋流產並不罕見，鼓勵她好好休息，繼續為生育努力。其實每100名孕婦中，就有約20名會於懷孕初期出現陰道輕微出血。部分胎兒會繼續成長，既不會影響將來的發育，也不會增加誕畸胎的風險。至於停止生長的，便屬於流產。

有時候，女士因宮外孕或葡萄胎等妊娠併發症，亦會出現近似流產的症狀。

宮外孕

宮外孕指的是胎兒在子宮以外的位置生長，包括輸卵管、子宮頸、卵巢，甚至是子宮外腹腔等。成因大多是由於輸卵管曾接受手術或受細菌感染，導致受損阻塞，令受精卵無法前往子宮；體內放置子宮環亦會增加受精卵着床在子宮外的可能。此外，女士

如患有子宮內膜異位或慢性輸卵管炎等，也較容易出現宮外孕。

此症早期的症狀不太明顯，卻有機會引致嚴重後果：若胚胎處於輸卵管，發育至約6星期時，胎兒有機會撐破輸卵管，導致腹腔大量出血，這時患者會感到劇烈腹痛，血壓會急劇下降，甚至會造成生命危險！較罕見的是，若剝落的胚胎組織依附在腹腔其他位置，而胎盤功能維持正常，則宮外孕會繼續生長。一旦懷疑宮外孕，醫生會根據病人情況決定是否進行腹腔鏡檢查。手術目的是要將胚胎組織盡量移除，以免引起併發症。

圖表3.5 正常懷孕與宮外孕對比圖

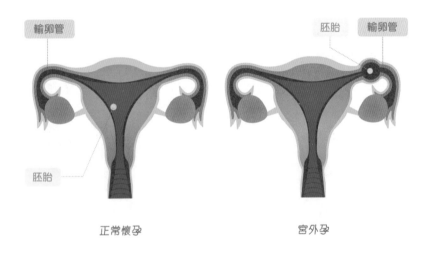

輸卵管　　　　　　　　　　　　　胚胎　輸卵管

胚胎

正常懷孕　　　　　　　宮外孕

葡萄胎

至於葡萄胎的成因與不正常的卵子受精有關，過早或過晚懷孕的女士風險較高。受精卵僅得父系染色體，又或父系與母系染色體數量失衡，便會產生葡萄胎。雖然受精卵會如常於子宮着床，而驗孕測試亦會呈陽性反應，但子宮內並無胚胎組織，又或是胎兒早已死亡，只剩下呈葡萄狀的胎盤絨毛組織。

患者常於孕後兩到三個月出現類似小產症狀，例如陰道不規則出血、腹痛等，甚或是嚴重的妊娠嘔吐，如能及早發現，可進行吸宮手術將葡萄胎清走。由於葡萄胎屬於不正常的細胞，有機會轉化成癌細胞，因此手術後一年內須定期檢測hCG指數（Human chorionic gonadotropin，即人絨毛膜促性腺激素），並做好避孕措施，待確定葡萄胎已完全清除且並無惡性化，便可再度懷孕。

總之，孕婦應盡早及定時接受產前檢查；當出現無故流血、下腹疼痛或痠脹時，便須向醫生求診，以策安全。

3.9
餵哺母乳還是奶粉好？

問：快將迎接BB出世，不過親戚朋友已在爭論：究竟我應餵哺母乳還是選擇奶粉。到底新手媽媽應該如何抉擇？

答：在經濟起飛的七八十年代，配方奶粉被認為是以科技保存營養的先進方式，因此大受歡迎；時至今日，大家的觀念轉變，以崇尚自然出發，社會各界也愈來愈提倡母乳餵哺。

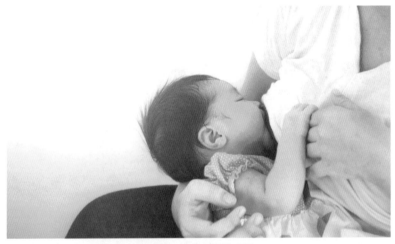

初生嬰兒可從母乳中獲取天然抗體及足夠的營養成份。

在香港，近年餵哺母乳的人數愈來愈多。對母嬰來說，母乳餵哺益處多，如情況許可，我會鼓勵媽媽先試以母乳餵哺孩子。世界衞生組織建議寶寶出生頭6個月應以全母乳餵哺，之後逐漸添加固體食物，並繼續餵哺母乳至寶寶2歲或以上。

懷孕期間，媽媽會透過胎盤把抗體輸送給胎兒，然而這些抗體會逐漸消退，大約在寶寶6個月大時就會耗盡；另一方面，初生嬰兒自我製造抗體能力較低，因此較易受到感染。母乳中含有天然抗體、活免疫細胞和酵素等，有助減低感染疾病的風險，而母乳中的奧米加3脂肪酸（如DHA）、牛磺酸（Taurine）等更有助寶寶腦部、視力和腸胃的發育。

餵哺母乳七大好處

1. 供應寶寶出生後頭6個月的所需營養

2. 母乳含有抗體，可增強寶寶免疫力，能減低寶寶患敏感症及受感染（如：腹瀉、肺炎等）機會

3. 母乳寶寶長大後較少出現肥胖或糖尿病等健康問題

4. 母乳中的蛋白質較易被消化和吸收

5. 初乳質地較稠，有助寶寶學習吸吮、吞嚥及呼吸的技巧，更能藉此訓練寶寶的口腔肌肉，減少日後出現牙齒咬合不正的問題

6. 餵哺過程令媽媽和寶寶肌膚相親，而寶寶吸吮乳房這動作可釋放催產素（「愛的荷爾蒙」），有助啟發寶寶的情智，促進腦部發展，並增進母嬰之間的感情和信任。

7. 媽媽也可從中受惠，既可減低產後出血的風險，亦有助產後收身，更能減少他日患上乳腺癌和卵巢癌的機會。

哺乳媽媽的飲食宜忌

→ 應進食多元化食物，包括肉、魚、蛋、奶類等，以攝取足夠的營養

→ 多喝水

→ 多吃蔬果

→ 避免進食高脂肪或高糖份的食物

→ 戒煙戒酒

→ 不宜亂服藥材補品

不過，母乳之路並不容易，特別是對於香港的雙職媽媽來說，要在上班時段內找到合適的地方來擠奶和存放母乳實非易事。曾有讀者反映，其辦公室位於工廈，空間狹小，只可於同層的公共洗手間內擠奶，令她大感壓力。另一方面，媽媽在外出時既要帶備

哺乳媽媽應保持健康均衡的飲食習慣，同時戒煙戒酒。

各種授乳用具，又要在商場內尋找育嬰室，難以隨時隨地作餵哺，大大局限了外出的自由。

在職的「母乳媽媽」可嘗試與主管協調授乳時間、授乳場所及儲存母乳的設施，外出時可預先搜尋目的地附近的「母乳餵哺友善場所」位置，藉此將不便減至最低。

配方奶粉不等如差

既然餵哺母乳有這麼多好處，當然是媽媽與寶寶的必然之選。然而，各人狀況有異，有些媽媽產後身體欠佳，乳汁分泌不足，又

或是工作場所欠缺配套支援，根本無法為寶寶供應足夠的母乳，那麼配方奶粉也算是一個不俗的選擇。

曾聽說有媽媽因為不能成功餵哺母乳，又或是未能全母乳餵哺而感愧疚，實在不必！在育兒路上，餵食只是其中一環，最重要是配合自己和寶寶的需要，選擇一種最適合的餵哺方式，切忌為此過度焦慮，以免影響產後心情。

3.10
產後漏尿影響生活

 問：我終於等到「卸貨」，順利把寶寶誕下來了！以為事情圓滿結束，沒想到卻有尿滲問題，而且持續了幾個月，令我心情低落，有方法改善嗎？

答：懷胎十月固然辛苦，但生產後不代表「甩難」，媽媽除了要應付寶寶需要外，身體亦因經歷了生育過程，帶來種種變化。較常見的是產後骨盆底肌肉鬆弛，有機會導致尿失禁，甚或是子宮下垂等問題。

女士尿失禁主要分為應力性、急切性、滿溢性及功能性失禁等四大類。產後出現的尿失禁，以應力性失禁佔大多數，即是由於骨盆底肌肉鬆弛，導致尿道控制能力降低，一旦腹腔壓力上升（如大笑或提舉重物等），便會增加膀胱的內壓力，令尿液從尿道流出。此症常見於多次生育的女性，也可能出現於長期咳嗽、便秘、肥胖人士或長者。

為什麼產後會漏尿？

女性歷經十月懷胎、分娩過程等創傷導致骨盆底肌肉鬆弛時，肌肉組織便無法在受壓時正常鎖閉尿道。試想像，尿道就好比水

管，放在堅實平地（正常骨盆底肌肉）時，稍稍用力踏緊，水管便被堵塞，不再漏水（漏尿）。水管若置於濕泥地（鬆弛的骨盆底肌肉），即使用力踏緊亦極難止水，導致失禁。

女士應時刻留意身體有否異常，即使出現少量尿滲，若情況持續也應早日求醫。醫生會為患者作臨床診斷，並為有需要的患者進行尿動力學測試，利用儀器記錄膀胱於儲尿和排尿時的壓力變化，以及檢測過程中漏尿的情況。

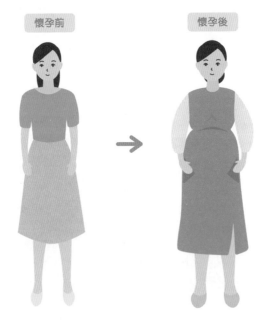

懷孕前　　　　　　　　懷孕後

懷孕期間，胎兒的重量有機會令骨盆底肌肉變得鬆弛，引致漏尿。

運動治療

作為治療的第一步，產後媽媽可先嘗試以非手術性的骨盆底肌肉運動治療（請參考本書第四章〈如何修復陰道鬆弛〉），練習收緊骨盆底肌肉，以減輕症狀，但尿滲持續3個月末有改善，便應尋求醫生的專業意見。

至於患有嚴重應力性尿失禁者，單靠骨盆底肌肉運動治療未必能有顯著成效，應考慮接受無張力尿道中段懸吊術（TVT-O）（請參考本書第四章〈尿失禁治療有方〉），以改善這惱人的困擾。

媽媽有苦自己知

因生產而引致的婦科問題並不罕見。影星湯唯當年誕下女兒後復出，卻被男拍檔指她工作時經常上廁所。湯唯其後重提此事一時感觸落淚，有指她產後面對尿頻及膀胱脫垂的困擾，可見很多人不大了解女性產後的苦況。此外，音樂組合S.H.E成員陳嘉樺（Ella）亦曾公開表示因分娩時難產，導致子宮及膀胱脫垂，不論打噴嚏、跳躍或跑步等，也會誘發尿失禁，嚴重影響生活及情緒，最終須接受手術治療。

3.11
預防產後出現子宮下垂

問：我發現產後陰道分泌物增多，近日更感到陰部有異物凸出，洗澡時好像摸到腫塊，到底是什麼回事？

答：女士如果感到下身腫脹，甚或觸摸到有腫塊凸出，可能是患上骨盆底器官脫垂（即俗稱的「子宮下垂」），建議盡快求診。

針對產後婦女來說，患上此症主因是在懷孕過程中，孕婦體內會分泌鬆弛素令盆腔的韌帶放鬆，增加骨盆的伸縮性，為日後寶寶能順利生產作準備。另一方面，隨着胎兒成長，重量增加，對母親的骨盆底肌肉也會構成壓力；若產婦曾經多次生產、生產時骨盆底肌肉或神經線曾受損（例如曾以產鉗或吸盤協助生產，分娩時會陰裂傷等）、胎兒重達4公斤或以上、產後缺乏骨盆底肌肉運動作保養等，均可對骨盆底肌肉造成不能彌補的傷害。

此外，分娩後若沒有好好休養和鍛煉，骨盆底肌肉容易維持在過度鬆弛的狀態，或會導致日後陰道鬆弛及子宮脫垂，甚或是連隨膀胱與直腸一併脫垂。如患者骨盆底器官脫垂的程度嚴重，有機會阻礙大小二便，或因脫垂組織被刮損而有不正常出血，甚至行房也有阻礙，影響日常生活。

圖表3.6 懷孕前後骨盆底肌肉的變化

正常骨盆底肌肉

膀胱
尿道
陰道

直腸
子宮
骨盆底肌肉
肛門

懷孕導致骨盆底肌肉壓力增大

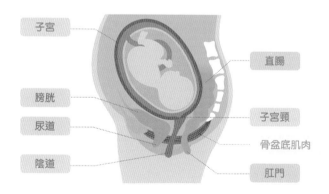

子宮

膀胱
尿道
陰道

直腸
子宮頸
骨盆底肌肉
肛門

治療骨盆底器官脫垂可分為非手術和手術兩種方式，如患者打算生育，可放入PVC或矽膠製造的陰道托來支撐脫垂器官；至於不打算再懷孕的話，則可考慮接受經陰道子宮切除術，再加上骨盆底修補術（請參考本書第四章〈勿被子宮下垂嚇怕〉）。

預防方法

女士特別是在生產後，若想預防骨盆底器官脫垂，或避免脫垂情況繼續惡化，應注意日常生活習慣。

補充足夠營養

哺乳期間的媽媽應吸收足夠的營養，既可以為寶寶提供所需的母乳，又能讓自己生產後的身體組織得以修復。因此，產後不宜過早節食修身，亦切忌過量運動，令還未回復原狀的骨盆組織再受創傷。適量的骨盆底肌肉運動，能助產後媽媽增強骨盆底肌肉群的承托力，減低日後骨盆底器官脫垂的風險。

病向淺中醫

長期便秘和咳嗽，會令腹壓增加，誘發骨盆底器官脫垂。不論是懷孕前或是分娩後，如有此等健康問題，均應及早正視及處理。

避免提重物及坐板凳

如需搬運重物，切忌直接彎身提舉，應利用工具如手推車輔助；

另外，應避免經常坐於板凳或任何比膝蓋低的座椅上。

慎用束腹帶

束腹帶能否幫助產後塑形這個議題，一直眾說紛紜，惟再好的輔助用具，若使用不當，也會造成反效果——太早使用束腹帶，使用時間太久，或綁得太緊，均有可能令尚未復元的骨盆底肌肉承受額外的壓力，反而有機會引起骨盆底器官脫垂。

長期咳嗽或便秘的女士，可令腹壓增加，誘發骨盆底器官脫垂。

3.12
懷孕後變蠢有根據

問：自從懷孕生孩子後，我感到記憶力大不如前，試過連大門鎖匙也弄丟，也有跟朋友約好了卻忘記赴約，難道成為媽媽的代價是變蠢變笨嗎？

答：女人成為母親後，身心均經歷巨大變化。就以新手媽媽Cindy的故事為例，她最近完成產假正式復工，期望再在事業上拚搏。或許是放假太久了，她發現自己腦筋不像以前靈活，常常丟三忘四，為此深感懊惱。同事紛紛安慰Cindy，說這個情況是俗語「一孕傻三年」，這反而讓她更擔心——如斯狀態還要維持3年？

歐美亦有類似說法，英文是Baby Brain。很多新手媽媽於懷孕期已感到思維能力比以前遜色，甚至像Cindy般產後情況依舊沒有改善。為何成為媽媽卻會變笨呢？澳洲迪肯大學（Deakin University）的研究人員於2018年在《澳洲醫學期刊》曾發表相關的研究。

研究對象包括孕婦和非孕婦，透過一系列認知能力測試，評估她們的記憶力、專注力、決策及計劃能力等。結果發現，與沒有懷孕的婦女相比，準媽媽的表現確是較差。而在整個孕期中，女性在懷孕首3個月的思維能力會稍降，及至妊娠中後期，情況便

不少女士懷孕後乃至生育後，都自覺記憶力及思考能力下降。

穩定下來。雖然準媽媽「轉數」變慢了，但是無阻她們應付日常
生活。

產後兩年恢復原狀

另一研究則指，首次懷孕的媽媽大腦中的灰質會明顯減少，此舉
能助她們日後識別自己孩子的需要，並提升她們的心智理論能
力，以建立親密的母嬰關係，而此等改變至少維持兩年之久！由
此可見，孕後「變蠢」仍需要更多研究才能定奪。

可是，為什麼很多準媽媽都自覺記憶力及思考能力下降？背後原因可能來自多方面，例如懷孕期忙於產檢，既要為寶寶出生作準備，又要擔心胎兒不健康而情緒受困擾。此外，懷孕初期的孕吐、脫髮等生理變化，及至中後期「不分晝夜」的胎動，均可令孕婦心思分散，腦袋運轉自然不及懷孕前靈活。所以準媽媽應視之為正常改變，待產後一段日子身體回復狀態，生活重回正軌，情況便可改善。

留意情緒健康

不過要留意的是，思維能力變差亦可能是產後抑鬱的症狀之一。倘若產婦同時出現了其他情緒症狀，例如對昔日愛好失去興趣、食慾減少及失眠等，就不能只歸咎於「一孕儍三年」了！這些情況可能反映母親的精神健康響起了警號，故應主動跟主診醫生傾訴，商討是否需要尋求專業協助。

CHAPTER 4

自信更年期

4.1
步入中年如何「進補」

 問：我近來自感健康開始走下坡，相信與快將更年期有關，請問應該補充哪些營養素來強身健體呢？

答：女士來到一定歲數，愈來愈多健康問題浮現，例如身體機能及皮膚狀況日漸衰老，或出現骨質疏鬆等。因此，成熟女士需要補充足夠的營養素來維持健康，諸如對人體相當重要的維他命C，具增強抵抗力及抗氧化的功用，連同維他命D、E、鈣、原花青素及益生菌，可稱得上是女士的六大「補品」。

維他命C

很多人感冒時都會想到服食維他命C補充劑來增加抵抗力，其實它還可以製造膠原蛋白，既有益於皮膚，又可幫助細胞、血管、骨骼及牙齒等生長及修復。不僅如此，維他命C亦有助身體吸收鈣質及鐵質，在整體健康上擔當十分重要的角色。食物當中的柑橘類水果如橙、柑及檸檬等含有豐富維他命C，而奇異果、士多啤梨，以及深綠色蔬菜，皆是這種營養素的重要來源。

市面上林林總總營養補充劑令人花多眼亂，服用前應諮詢醫生意見。

惟要注意，若長期過度服用補充劑，例如超出每日建議攝取量的10至20倍，可能會帶來腹瀉及腎結石等問題。除此之外，強光、長時間浸泡及熱力皆可破壞食物中的維他命C，故此宜儲存於陰涼位置，避免長時間浸洗及烹調。

鈣質及維他命D

年過40歲的女士，骨質流失開始加快，若骨質密度急劇下降，將增加出現骨質疏鬆及骨折的風險，因此最好趁年輕時多吸收鈣質；即使已屆中年，也要繼續攝取鈣質，以保持骨質密度。牛奶

或奶類製品是鈣質的主要來源,而深綠色蔬菜、硬豆腐、連骨沙甸魚、加鈣豆奶和果仁亦含豐富的鈣質。

從膳食中吸收鈣質,須配合攝取適量的維他命D,若飲食吸收未能達至足夠的鈣水平,便會消耗骨骼本身的鈣,令骨骼變得脆弱,並妨礙健康的新骨骼生長。女士亦應透過每天日曬15分鐘,或是從膳食(如適量進食蛋黃及海魚等)獲取所需的維他命D以輔助鈣質的吸收。

維他命E

至於維他命E則是天然的美容品,屬於「厲害」的抗氧化劑,既可保護細胞免受破壞,加強免疫力,維持皮膚健康,又有助長者預防眼疾如黃斑病變及白內障,更能清走令身體出現細胞病變的自由基。女士可從各種果仁(如葵花籽、杏仁、榛果、花生等)及蔬菜類(如菠菜、蘆筍、西蘭花等)吸收此「美顏妙品」。

原花青素

男女生理結構的不同,令女士較男士更容易患上尿道炎——女士的尿道較短,尿道口亦接近陰道和肛門,導致細菌較容易進入泌尿系統「肆虐」;至於臨近更年期的婦女,雌激素缺乏令尿道防禦力下降,更易發生感染。女士可多進食紅莓(即蔓越莓)或其萃取物,當中含具抗炎效用的原花青素,能防止大腸桿菌黏附在

尿道壁,有助預防尿道感染和發炎。除紅莓外,藍莓、黑加侖子及士多啤梨等也含豐富的原花青素,多吃無妨。

益生菌

除進食紅莓外,服用益生菌補充劑如Lactobacillus reuteri RC-14,同樣能減少腸道內的害菌滋生,防止病原菌黏附尿道。有臨床醫學研究發現,持續服用相關營養補充劑,能增加陰道的健康菌叢比例,有助恢復與維持陰道菌叢的健康,減少泌尿生殖道的反覆感染,同時能提升感染時服用抗生素的成效。

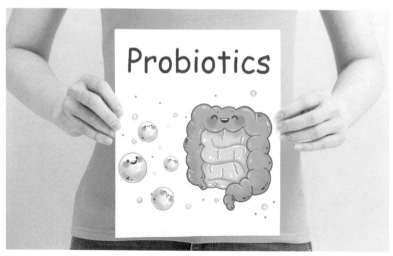

服用益生菌補充劑除可減少腸道內的害菌滋生,亦能防止病原菌黏附尿道。

營養素不能治百病！

要注意的是，營養補充劑只有預防作用，並不能取代藥物治療。假若已出現婦科疾病例如尿道發炎的症狀，必須及早求醫，對症下藥。

4.2
不適合跑步的女人

問：熱愛運動的我隨着年齡漸長，身體好像不聽使喚。最近聽說跑步對女人健康不好，真的嗎？

答：近年香港掀起一陣運動熱，當中以跑步最受歡迎，大大小小的馬拉松比賽總吸引數以千計的人報名。然而對部分中年女性而言，身體機能退化已令她們跑步時感覺力不從心，而某些婦科毛病（如跑步時出現尿滲或下體不適）令她們更感困擾，如不正視情況，可能要被迫放棄運動習慣。

以45歲的李太為例，她年輕時是短跑好手，朋友都鼓勵她重拾嗜好。李太有口難言，因數年前開始出現子宮下垂，下體常有下墜不適感，步速稍快已感辛苦，又如何能疾跑呢？

骨盆底器官脫垂患者難疾跑

類似李太患有婦科疾病而不適合跑步的個案不少，骨盆底器官脫垂（俗稱「子宮下垂」）是其中一大原因，患者因子宮、直腸及膀胱等盆腔器官失去支撐，於是有下墜甚或突出的情況。患者亦

可能感到下陰有腫塊，或是難以完全排清小便，甚至在咳嗽或大笑時出現漏尿。部分患者反映下背疼痛，行房時亦感不適。

患者在長時間站立後，又或在晚間症狀較明顯；躺着時難受感覺會得以紓緩。骨盆底器官脫垂患者以50歲或以上女性居多，中年女性如曾經多次生育、生過4公斤以上寶寶、生產時需要產鉗或吸盤輔助，亦會增加患病風險。至於未曾生育但先天骨盆底肌肉較弱的女性，也有機會出現此症。

泌尿婦科醫生會按脫垂位置及嚴重程度來決定治療方法——如果仍想保留子宮將來生育，或病情輕微者，可採用陰道托來支撐

女士跑步時如出現尿滲，或與骨盆底器官脫垂有關。

脫垂器官；若脫垂情況較嚴重則須採取手術方式（經陰道切除子宮，配合骨盆底修補術），以改善問題。

放棄郊遊因尿滲困擾

患有尿失禁的女性，亦視跑步為不可能的任務；她們最怕突然漏尿，就連「追巴士」也不敢。

另一個案的主角陳女士，退休後經常跟三五知己行山遠足，最近一個月卻不再出動，朋友都擔心她發生了什麼事。原來陳女士察覺自己有尿滲問題，需要長時間使用護墊才敢外出，而且頻頻有尿意，相隔不到兩小時就須如廁；由於她怕郊外較難找到洗手間，唯有退出行山團，整日悶在家中。

尿失禁有多種類型，如應力性、急切性、滿溢性及功能性尿失禁等。多次生育、肥胖、長期便秘、咳嗽日久及年紀老邁的婦女，較常患上應力性尿失禁。患者因骨盆底肌肉鬆弛，當腹腔壓力增加，令膀胱內壓上升，便會漏尿。

由於此症有機會持續惡化，故此一開始出現漏尿情況便應提高警覺，盡快檢查。治療女性尿失禁不一定需要施手術，情況輕微的話可練習骨盆底肌肉運動；病情嚴重或同時患有骨盆底器官脫垂的個案，則須積極考慮手術治療如無張力尿道中段懸吊術（TVT-O）（請參考本書第四章〈尿失禁治療有方〉）。

4.3
勿被子宮下垂嚇怕

問：我是一個快將50歲的母親，近來常感到下身有垂墜感，間中甚至發現有異物突出，非常不舒服，現在連外出也不想，家庭關係大受影響，怎麼辦？

答：上述個案有機會是出現了子宮下垂的問題。所謂子宮下垂，其實是「骨盆底器官脫垂」的俗稱，意指骨盆底器官（子宮、膀胱及直腸）失去支撐而脫離正常位置，患者會擔心子宮下墜或突出，並因這種不適而影響生活。

此症常見於50歲以上的婦女，惟亦有30多歲女士罹患此症。曾多次分娩、嬰兒出生時「重磅」、因難產而須使用吸盤或產鉗分娩的女士會較大機會患上。此外，若有便秘、哮喘、長期咳嗽等問題，及長期提舉重物者，患此症的風險亦會增加。少數先天骨盆底肌肉較弱的女性，即使未曾生育亦要留意。

骨盆底器官脫垂常見症狀包括：下陰感到有腫塊突出或沉重不適感、下背痛或行房疼痛，小便時感覺無法排清等，亦有患者在咳嗽時漏尿；若直腸也下墜而出，會感到大便排不乾淨。一般而言，躺下或早上時症狀較紓緩，站着或晚上則較明顯，部分患者會誤以為是婦科癌症如子宮頸癌或陰道癌等，虛驚一場。

圖表4.1 骨盆底器官脫垂症狀對比圖

正常情況

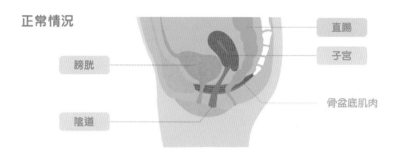

膀胱

陰道

直腸

子宮

骨盆底肌肉

子宮脫垂後

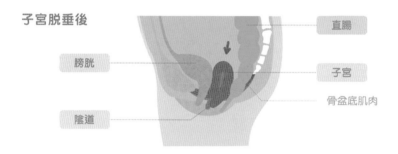

膀胱

陰道

直腸

子宮

骨盆底肌肉

子宮脫垂連膀胱、直腸脫垂

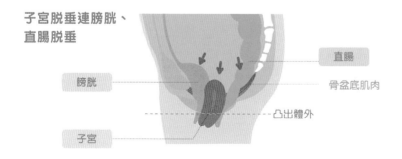

膀胱

子宮

直腸

骨盆底肌肉

凸出體外

曾多次分娩的媽媽患上骨盆底器官脫垂的機會較高。

骨盆底器官脫垂常見症狀

→ 下身感到下墜不適

→ 下陰有腫塊突出

→ 不正常陰道出血

→ 排尿困難

→ 排便不順

風險因素

→ 懷孕及分娩

→ 難產

→ 肥胖

→ 更年期

→ 長期承受較大腹壓

→ 骨盆底肌肉鬆弛

治療需多管齊下

儘管不是癌症，骨盆底器官脫垂卻會帶來不適，並可引起尿液倒流，導致腎功能下降，情況嚴重更可引致腎衰竭，如有懷疑應盡快求診。醫生將根據脫垂位置及嚴重性，建議患者以非手術或手術方法治療。前者利用陰道托將脫垂的器官暫時支撐，適合欲保留子宮日後生育之婦女，或身體狀況不適合接受手術者。陰道托須定時更換（至少每隔4至6個月更換一次），長期佩戴可令陰道損傷，引起出血，也會影響房事進行。

手術治療主要為經陰道切除子宮，再加上骨盆底修補術。如果脫垂情況較嚴重，患者須同時接受陰道骶骨固定術，以減低復發機

會。由於手術經陰道進行，術後傷口會處於陰道內，所以外觀上並無傷口；亦因為傷口於陰道內，故此手術後的痛楚較小，大部分病人第二天便可下床，一般術後3至5天便可出院。

另有，小部分病人經醫生評估後，可選擇進行保留子宮的修補術，如曼徹斯特修補術（Manchester Operation），惟術後並不建議再懷孕。由於患者在手術中保留的器官仍有機會再脫垂，故必須同時改善生活習慣，如避免提舉重物，防止便秘和長期咳嗽等。切記骨盆底器官脫垂並不會自行痊癒，年紀增長，身體機能會逐漸下降，治療成效亦會隨着脫垂的嚴重程度而變差。

4.4
尿失禁治療有方

 問：為何有些女性在大笑之後會出現滲尿？聽說有些媽媽級的女藝人也有漏尿問題，似乎並不罕見，是因為年齡抑或體型問題呢？

答：不少女性深受尿滲困擾，卻又難於啟齒。當聊起「尿失禁」這個話題，大家總會聯想到使用成人尿片，或是尿濕整條褲子的畫面。其實尿液不受控地從尿道流出，即使只有一兩滴，已可定義為尿失禁。尿失禁可分為應力性、急切性、滿溢性及功能性失禁幾類。女士如經常漏尿，既引起衞生問題，也嚴重影響日常生活。不少女士於尿滲初期，總是掉以輕心，又或是諱疾忌醫，但隨着年紀增長，情況惡化，影響日常社交及情緒健康，亦錯失了治療的最佳時機。

尿失禁分類

應力性失禁：常見於曾多次分娩、慣性便秘、長期咳嗽、肥胖或年長的女性，主因是骨盆底肌肉鬆弛，削弱了尿道的控制能力，一旦腹腔壓力增加，如大笑、提取重物或咳嗽時，尿液便會經尿道滲出。

急切性失禁：多與膀胱過動症有關，患者稍有尿意即須排尿。

滿溢性失禁：源於泌尿神經系統出現毛病，令膀胱肌肉收縮力減弱，尿液過量累積導致失禁。

功能性失禁：患者因行動不便或患上失智症（俗稱老人癡呆症）而未能及時如廁。

曾有位年約40歲、育有兩名孩子的女士向我傾訴，她每逢咳嗽或大笑時都會尿失禁，長期需要保持克制，更因害怕尿滲後發出異味而不敢與丈夫一起看電影。經閨蜜鼓勵下求醫，始發現患上的是應力性失禁。女士們當察覺到日常有少量滲漏便要多加留意，如情況持續或須尋求醫生意見。

失智症患者或因未能及時如廁，引致功能性尿失禁。

檢查及治療

除了一般的婦科檢查外,醫生會透過尿動力學測試,評估患者的膀胱及尿道功能。過程中會先將幼細的導管放進尿道及肛門,再灌注生理鹽水,並用儀器記錄膀胱的壓力與收縮變化。病人亦須按指示做出不同動作,以觀察有否因腹部壓力上升而引致滲尿。

圖表4.2 尿動力學測試圖解

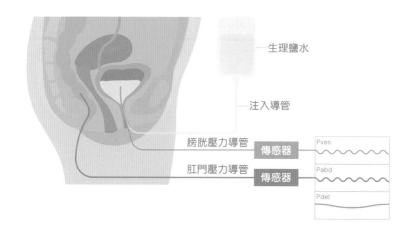

假如出現尿失禁,可先透過非手術治療來緩解症狀:譬如病情輕微的應力性尿失禁患者,可先以骨盆底肌肉運動(凱格爾運動〔Kegel exercise〕,亦即俗稱的「提肛運動」)來治療(請參考本書第四章〈如何修復陰道鬆弛〉)。部分患者於持續練習下滲漏情況逐漸改善,毋須進行手術。

倘若練習後效果欠佳，或是病徵嚴重的患者，則須考慮接受微創手術——無張力尿道中段懸吊術（TVT-O）。手術原理是於中段尿道下組織置入人工吊帶，以支撐恥骨尿道韌帶，從而改善控尿功能。

相對以往的尿失禁手術治療，此方法不僅能減少膀胱損傷的機會，亦較少引致術後小便困難，適用於大部分患者。由於手術時間短，術後痛楚少，病人一般可於手術後翌日出院。

圖表4.3 無張力尿道中段懸吊術（TVT-O）

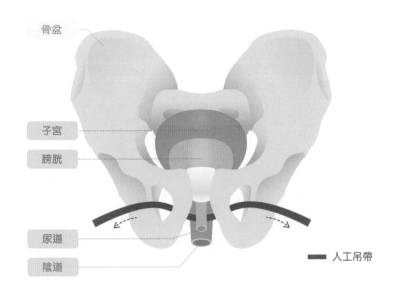

骨盆

子宮

膀胱

尿道

陰道

人工吊帶

4.5
女士也有夜尿問題

 問：一直以來我也是「一覺瞓天光」，但這陣子半夜經常要起床如廁，以前從沒試過這樣，究竟是什麼原因呢？

答：很多人以為夜尿只屬長者「專利」，其實年輕女士亦有機會面對。我們每天的睡眠時間約6至8小時，這個時段內身體會自然將尿液濃縮，免卻要醒來排尿。倘若晚上因有尿意而需要起床如廁多於一次，就要正視是否有夜尿問題。

最常見導致夜尿的原因，是臨睡前吸收太多水份——若睡前喝咖啡或飲酒，利尿效果會更明顯。此外，有些疾病也會導致夜尿頻繁，例如糖尿病、高血壓、心臟病或睡眠窒息症等；至於情緒問題患者，如抑鬱症或焦慮症，則會因睡眠質素欠佳而導致類似夜尿的症狀。

曾經生育的女性，特別是育有兩個或以上的寶寶，有機會因為產後內分泌改變，以及生產時骨盆組織和神經線受損，引致較未曾生育者更易有的夜尿問題；至於患有膀胱過動症的女性，也會有夜尿煩惱。

或由尿道炎引起

曾有中年女士來求診，指近日深受夜尿困擾，她說白天工作時總是呵欠連連，夜間入睡後又常因尿意而醒來，一晚要如廁最少兩三次。經詳細問診後，原來她同時有小便赤痛及偶然小便帶血，相信是尿道炎引致夜尿，經治療後情況大幅改善。

另有部分個案除出現夜尿外，也有日間尿頻、腹痛、尿道痛及背痛等，病人接受檢查後，卻沒有發現細菌感染跡象。此類病人可能是患上了間質性膀胱炎，與細菌感染無關，成因是膀胱黏膜受損，導致膀胱有發炎現象，刺激神經，引發連串症狀。醫學界已

女士夜尿問題成因眾多，應及早就醫找出問題根源。

知長期服用毒品氯胺酮（俗稱K仔）可誘發間質性膀胱炎。由於此病性質特殊，不易斷症，因此如出現尿道炎症狀，但經治療後仍病情反覆，則應考慮再次諮詢醫生。

大部分夜尿問題不難處理，除減少晚間飲水量之外，患者亦可記錄每天進水量及如廁時間，有利醫生推斷病情成因。此外，醫生亦會按個別需要，建議患者接受小便種菌、尿動力學測試等檢驗，又或是進行臨床檢查，以確定有否骨盆底器官脫垂等情況。處理好問題，自然就不怕夜尿再臨。

4.6
密密上廁所的煩惱

問：我常常感到尿意難忍，但如廁時卻發現排尿量不多，如何能解決此問題呢？

答：什麼是尿頻？正常人每日小便次數約6至8次，若24小時內多於8次，而每次尿量不多，便屬於尿頻。患上嚴重尿頻既影響日常生活，亦為患者造成心理負擔。

女性尿頻主因

→ 泌尿道感染

→ 膀胱過動症

→ 盆腔腫瘤，如子宮肌瘤、卵巢囊腫

→ 懷孕（因子宮增大而壓迫膀胱）

→ 膀胱結石

→ 陰道炎

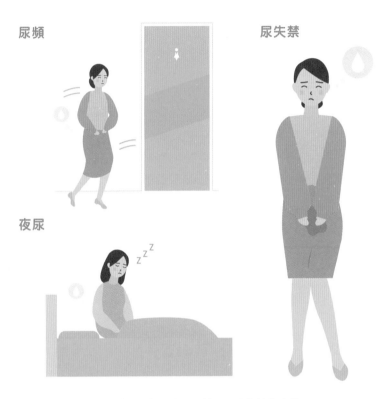

尿頻

尿失禁

夜尿

膀胱過動症患者或會出現尿頻、夜尿，甚至是尿失禁的病徵。

泌尿道感染

泌尿道感染（即膀胱炎/尿道炎）是常見女性尿頻的原因，估計五至六成女性最少曾經歷一次泌尿道感染，當中三分一會在24歲前發生，而部分患者須使用抗生素治療。泌尿道感染的常見成因

包括：疏於喝水、長期忍尿或沒有排清尿液、如廁後清潔方法不當、泌尿系統結構出現變化（如懷孕）、患有影響免疫力的慢性疾病（如糖尿病）等。

一般的泌尿道感染可使用抗生素治療，惟若症狀經常復發或久醫不癒，便有機會是患上了病徵相似的間質性膀胱炎。此病患者多為年輕女性，由於患者膀胱的內壁黏膜受損，一旦尿液中的刺激物經黏膜缺口滲入膀胱肌肉，便會刺激肌肉造成慢性發炎。嚴重患者膀胱容量可少於100毫升，以致常有尿意。

膀胱過動症

尿頻的另一主因為膀胱過動症，屬於功能性原因，大部分患病成因不明，惟少數病者因患有其他影響神經系統的疾病（如中風、糖尿病和脊椎受傷等），又或因膀胱內結石的刺激，引起尿頻。患者的膀胱會不由自主地收縮，導致急迫性的尿意，造成尿頻、夜尿，甚至是尿失禁。此外，攝取過量咖啡因、尼古丁、人造甜味劑及酒精等，也會刺激膀胱，加劇尿頻症狀。

簡而言之，尿頻只是表徵，要緩解這個問題，最好還是接受醫生的檢查，找出病因，對症下藥，才是上策。

4.7
坦然面對更年期

問：記得以前媽媽步入更年期時，脾氣變得暴躁，更時常無故責備家人；現在我也快要步入這個年紀了，實在擔心自己會性情大變，也難以承受身體的變化！

答：50歲的Diana，在家是照顧丈夫子女的重要人物，在公司則是老闆的得力助手，然而踏入更年期後，她的生理與心理都起了變化。最初Diana感到十分無助，情緒變得焦躁，不論在家中還是辦公室都「生人勿近」，身邊人惟恐觸怒她，只能遠遠避開。幸好丈夫決定陪她求醫，漸漸緩解了症狀。後來Diana適應了身體上的變化，加上保持正向想法，更年期不再是她生活上的絆腳石。

在醫學的定義上，當女性逾一年沒有來經，便是踏入更年期了。Diana的經歷很常見，女性在45至55歲期間，體內的女性荷爾蒙開始減少，月經變得不規律，經量亦會增多或減少，生理和心理上同時面對變化。

儘管這是女人必經的人生過程，但隨之而來的更年期症狀確令女性深受困擾。

更年期女士容易出現潮熱、憂鬱等症狀。

部分更年期症狀

→ 較常見是出現潮熱——臉部及身體突然發熱漲紅,甚或伴隨出汗及心跳加速等症狀,使人難受。

→ 陰道因欠缺分泌而導致乾燥及失去彈性,故行房時會感到疼痛,平日亦常有痕癢不適。

→ 有部分女士的膀胱功能會受影響,又或是出現骨盆底肌肉鬆弛,導致小便失禁。

→ 外觀上,更年期女性的皮膚會失去彈性及光澤,甚至出現脫髮問題。

身體機能逐漸下降

女性荷爾蒙下降，會加快骨骼中的鈣質流失，故更年期女性較易出現骨質疏鬆症；此外，膽固醇積聚在血管的數量，亦會比更年期前為多，直接增加患上動脈粥樣硬化及冠心病風險；而當女性要面對種種生理問題，便容易產生負面情緒，或俗語所謂的「燥底」，導致善忘、專注力下降等情況。

年月為身體帶來轉變，起初確實會令人惶惑無助，不過只要多作

女士只要保持樂觀心情及積極應對問題，便能坦然度過更年期。

了解，便能消弭不少憂慮。更年期女性及其身邊人，除了從網上搜集相關資訊外，亦可直接尋求專業醫護人員的協助，坦誠道出身心困擾，既可減輕心理壓力，亦有助獲得適切的紓緩方法。另外，女士亦可參與社區的教育講座，或與年齡相若的朋友討論，攜手共渡更年期。

積極應對六大更年期困擾

1. 憂慮

與其擔驚受怕，不如主動了解什麼是更年期！女士們可向家庭醫生及婦科醫生了解更年期常見問題，亦可參加相關的健康講座，或是跟家人、好友傾談，互相分享經驗。掌握充足資訊，便可大減恐懼。

2. 潮熱

宜穿着寬鬆及棉質的衣服，並保持室內空氣流通。減少進食刺激性食物，如辛辣食物、酒精、濃茶或咖啡等。如果潮熱難忍，在家中可以溫水淋浴。

3. 陰道乾澀

行房時可使用陰道潤滑劑，並跟伴侶多加溝通，勿因羞澀而逃避問題。

4. 尿頻與尿滲

如果婦女有尿頻或輕微尿滲的情況，可以每天做骨盆底肌肉運動，以提升骨盆底肌肉的承托力。

5. 骨質疏鬆症

多吃含豐富鈣質的食物，包括奶製品及豆製品，如芝士、乳酪、豆腐及加鈣豆奶等。此外亦須保持適量的運動，以鞏固骨骼及肌肉。在攝取鈣質之餘，不忘每天曬15分鐘太陽，促進身體維他命D合成，讓鈣質吸收更理想（請參考本書第四章〈骨質疏鬆突然來襲〉）。

6. 情緒問題

要調整想法，別將更年期看得太負面，反而這代表了人生步入下半場，是時候為自己訂下新目標了。

4.8
荷爾蒙治療的作用

問：聽説荷爾蒙治療可以用來紓緩女士更年期的不適，可否講解這一方面的詳情？

答：女性體內的女性荷爾蒙，有助達致生兒育女之目的，而這些荷爾蒙亦同時影響着女士的身體健康。卵巢分泌出雌激素及黃體酮，前者能刺激乳房發育、令子宮內膜成長；後者則能促進乳腺發展（有助產後哺乳），影響子宮內膜分泌的變化，為受精卵着床作準備。

不過，女性荷爾蒙並非源源不盡。婦女步入更年期，即約45至55歲之間，卵巢功能逐漸衰退，導致上述的荷爾蒙分泌漸漸減少。部分女性於更年期時出現各種症狀，例如失眠、夜間汗多、潮熱、心情煩躁及皮膚粗糙等，身心大受煎熬。另一方面，更年期女士患上骨質疏鬆症及心血管疾病的風險亦會增加。

紓緩部分更年期症狀

部分女性因提早更年期，或是無法承受嚴重的更年期症狀，會考慮接受口服荷爾蒙補充治療法。此療程可紓緩部分更年期常見症

狀,並減低患上骨質疏鬆症與結腸癌的風險;惟須注意荷爾蒙治療也有其副作用,如乳房脹痛、噁心,甚或增加患上血管栓塞的機率;至於已確診心臟病或有乳房囊腫的女性,應向醫生了解是否適合接受相關治療。

不過在決定治療方針之前,我們必先認清所謂的「症狀」,是否真的來自更年期的身體變化:例如易累、頭暈、失眠,或是情緒暴躁、經常與家人吵架等情況,也可能與心理狀態有關。畢竟在更年期的時候,女士亦要面對生活上的種種,例如要為子女的學業及行為費心、在工作崗位上遇到壓力,單是這些問題,已足以

部分女士如難以忍受更年期症狀,可根據醫生建議接受口服荷爾蒙補充治療法。

構成情緒困擾。因此，患者應與醫生詳細溝通，找出症狀背後的成因，而非隨意使用荷爾蒙補充治療來解決。

子宮肌瘤患者勿進補太多

既然女性荷爾蒙是如此重要，那麼女士應否多加補充來強身健體？例如燕窩，傳統智慧認為它是養顏滋補的妙品。可是，對於患有子宮肌瘤問題的女士，若經常進食燕窩，有機會刺激此等腫瘤生長，令經血增多。謹慎起見，女士不應隨便攝取額外的女性荷爾蒙，以免適得其反。

4.9
「血崩」困擾中年婦女

問：我快到「收經」的年紀，但最近幾次的經血量卻很誇張，甚至試過「血崩」，這屬正常的嗎？

答：經血量過多的現象並非只出現於年輕女性身上，其實也有不少臨近收經的女性深受影響，有情況嚴重者更要入院治理。那麼，怎樣才算「經血量過多」呢?

簡單來說，如果每次來經時均須頻密更換衛生巾，經血中出現大血塊，甚或受貧血困擾，而情況已持續了數個周期，便應該盡早求診。

造成此問題的成因很多：例如更年期女士因荷爾蒙變化而影響月經流量；即使未屆更年期，女士若長期受壓，生活緊張，亦可令荷爾蒙失調。

此外，不少女士重視養生美顏，經常服用滋補藥材，然而部分中藥含植物性雌激素，有些則有行氣活血之功效（例如當歸、紅花及人參等），服用後可能令血管擴張，並刺激子宮收縮，引致經血量增多。

經常服用當歸、人參等行氣活血的中藥材，有機會令經血量增多。

經量受荷爾蒙變化影響

當然，經血量的多寡與子宮狀況亦息息相關，常見疾病如子宮肌瘤、子宮瘜肉、子宮腺肌瘤、子宮內膜異位症及子宮內膜癌等，均可令經血量倍增。須知道經血過量除了引起生活上的不便外，亦會衍生其他問題——例如長期使用衞生用品，可導致陰道細菌過量繁殖，造成炎症；而長期大量出血會引致貧血，症狀包括頭暈、疲倦無力、心悸及喘氣等，後果不容忽視。

如屬於功能失調性子宮出血，患者一般可以透過服用止血藥、荷爾蒙治療，或佩戴可釋放黃體酮的子宮環等方法來紓緩症狀，不

過也有機會出現副作用，如不規則出血及頭痛等。

對於40歲以上沒生育打算的女士，若長期受經量困擾而對一般治療無效，則可考慮進行子宮內膜消融術，移除子宮內膜，藉此減少月經流量。

至於因子宮肌瘤所致的「血崩」個案，若非手術性治療效果未如理想，醫生會按病情的嚴重程度、患者的生育意願、子宮肌瘤的大小和位置等因素，建議相對應的手術治療，例如子宮肌瘤切除或全子宮切除術。由於經血量多的成因各異，如果發現月經異常，應求醫檢查，以確定病因，千萬別坐視不理。

4.10
骨質疏鬆突然來襲

問：有位朋友跟我一樣40歲，最近在家跌倒竟然弄至骨折。醫生說她有骨質疏鬆症，讓我也開始擔心，此症可以預防嗎？

答：年紀愈大，骨質流失速度自然會加快。一般來說，骨質密度於青壯年時期維持在最高水平，40歲後明顯走下坡，而當女士踏入更年期，由於雌激素水平下降，骨質流失便會加劇。

當骨質密度下降，骨骼結構會變得脆弱，即使只是輕微碰撞或跌倒，都會較易導致骨折，特別是髖骨、脊椎和前臂骨。雖然骨質疏鬆不會直接造成骨痛，卻有機會導致駝背，令身形變得矮小，並引起背痛。

部分女士被視為高危一族，特別是雌激素不足者（例如40歲前已停經，或因疾病而須切除雙側卵巢），而患有內分泌失調的病人（如甲狀腺機能亢進），又或是長期服用高劑量類固醇人士，也要加倍小心。

如何預防骨質疏鬆？

從年輕開始培養良好的飲食和運動習慣，有助減低日後出現骨質

日常補充足夠鈣質可減少患上骨質疏鬆的機會。

疏鬆的風險；即使已患上骨質疏鬆症，也會因此而較少出現骨折受傷的情況。

密密補鈣

以下食物含有豐富鈣質，不妨多吃：

✔ 奶類：牛奶、乳酪、芝士

✔ 豆製品：加鈣豆漿、豆腐、腐竹

✔ 海產：連骨或殼一併食用的海產，如銀魚乾、蝦米、沙甸魚

✔ 蔬菜：深綠色的蔬菜如西蘭花、芥蘭、菜心

✔ 水果：橙、無花果

✔ 果仁：芝麻、杏仁、合桃

以下習慣則會影響鈣質吸收：

✘ 吸煙

✘ 飲酒

✘ 常喝含咖啡因的飲品如咖啡、濃茶

✘ 飲食中攝取鹽份（鈉）過多

須配合補充維他命D

維他命D可幫助身體吸收鈣質，而吸收維他命D的最佳方法是曬太陽。建議每天讓臉部和手臂直接曬太陽十數分鐘即可，切記柔和陽光已能產生功效，毋須特意暴曬。若因工作關係或生活習慣，導致無法接觸陽光，便應諮詢醫生意見，看看是否需要服用維他命D補充劑。

曬太陽是天然吸收維他命D的方法。

至於飲食方面,含有豐富維他命D的選擇較少,主要來自含高油份的魚類如吞拿魚、沙甸魚或三文魚等,而蛋黃、添加維他命D的奶類製品和豆奶,亦是不錯的選擇。

多做負重運動

負重運動指的是一些令骨骼必須承受身體或其他額外重量的運動,例如緩步跑、急步行、跳舞、網球或羽毛球等,建議每周最少3次,每次約30分鐘為佳。如於白天進行戶外運動更可多曬太陽,順道吸收維他命D。

有關如何補鈣的各種迷思

每天補充大量鈣質有用嗎？

其實人體每次只能吸收約500毫克鈣質，吸收足夠份量即可，而成人每天不宜攝取多於2000毫克的鈣質，過量的話反而對腎臟造成負擔。

一天一次集中補鈣就夠？

「分散投資」更好，可安排在全日的不同時段進食含鈣食物或鈣片，讓身體持續吸收鈣質。

吃鈣片時可以連同其他補充劑一起吃嗎？

應避免同時吃鈣片又吃補鐵丸或其他多種維他命，以免有機會影響吸收。

聽說骨湯和薑醋可以補鈣？

其實魚骨或豬骨的鈣質不會溶於水中，所以飲用這些湯水對補鈣無大幫助。至於薑醋中的豬腳和雞蛋，當中鈣質含量亦不算高，所以並不建議當作主要的補鈣來源。

4.11
如何修復陰道鬆弛

 問：經歷兩次生產後，我感到陰道有鬆弛跡象，忍尿能力變差了，亦擔心會影響房事。請問有沒有補救方法？

答：不少女士也要面對這個難於啟齒的問題。造成陰道鬆弛的成因主要來自兩方面：

懷孕增加盆腔壓力：不論是順產或是剖腹產的婦女，同樣有機會出現產後陰道鬆弛，原因是女士在懷孕期體重急劇上升，增加了身體負荷。可以想像，骨盆底肌肉突然需要承受來自胎兒、羊水等等的重量，難免令肌肉組織受壓並造成拉扯狀態；若懷的是雙胞胎的話，骨盆底肌肉所受的壓力更大。此外，孕婦懷孕時體內亦會釋出荷爾蒙，令韌帶、關節及結締組織等變得鬆弛，以便讓胎兒順利出生，這樣亦會影響肌肉的支撐能力。

機能老化令盆腔肌肉失彈性：隨着年齡漸長，女性荷爾蒙減少及膠原蛋白流失，盆腔肌肉會逐漸失去彈性並變得鬆弛，特別是停經後尤為明顯；至於曾經生育的女性，情況則會更為嚴重。

陰道鬆弛不僅令女性在行房時減少性趣，如情況惡化，更有機會

出現尿失禁，隨時因一個噴嚏、咳嗽或大笑而漏尿，處境尷尬。

勤做運動訓練肌肉

至於改善方法，女士可自行練習骨盆底肌肉運動，訓練骨盆底肌肉群，增加肌肉的承托力。此運動的好處是可於家中練習，或是於日常坐着和站立時進行。運動前先放鬆身體，然後像憋尿般收縮下身肌肉5秒，接着放鬆10秒，建議每天重複此組動作60次，可分3個時段進行。運動期間應保持正常呼吸，不要閉氣。

要注意的是，切勿於排尿時練習骨盆底肌肉運動，以免影響正常的排尿習慣。如果無法掌握技巧，或練習時感到不適，則應向婦科醫生查詢。

圖表4.4 骨盆底肌肉運動圖解

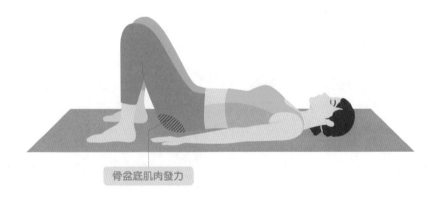

骨盆底肌肉發力

激光療程助修復陰道

除依靠運動來訓練骨盆底肌肉外，現時市面上亦出現了分段式二氧化碳激光療程（俗稱「修陰機」），以幫助修復陰道。其原理是以激光照射陰道膜，利用光熱刺激陰道壁的膠原蛋白增生和重組，達至增厚和緊致的功效，並有助改善輕度的應力性尿失禁。

不過，對於病情較嚴重的個案，此治療方法未必奏效，或須考慮以手術方式處理。如有疑問，應向醫生了解，以尋求針對性的治療方法。

女人病我不怕

5.1
香港女性十大癌症

問：聽說近年香港女性患癌數字較男性為高，
是真的嗎？有什麼預防方法？

答：根據2020年醫院管理局香港癌症資料統計中心公布的資料顯
示，2018年癌症新症個案按年升幅達2.9%，超過3.4萬宗，更創
有紀錄以來的新高！令人意想不到的是，在20至50歲的成年人
中，女性患癌比例較同齡男性高；其中於20至44歲的年齡組別，
女性患癌更較同齡男性高逾一倍。

有此情況，是因為四大女性癌症（乳腺癌、子宮體癌、卵巢癌及
子宮頸癌）發病率急速增長，特別是子宮體癌（大部分為子宮內
膜癌）。而當局更預測，女性癌症患者數目將於未來超越男性。

預料女性患癌新症會超越男性

可以預計，隨着女性飲食習慣愈趨西化，愛多肉少菜及快餐，加
上運動量少，間接增加了患癌風險。要留意的是，體內脂肪過
多，會轉化為女性荷爾蒙，有機會刺激相關癌症如乳腺癌。另一

圖表5.1 女性生殖系統常見癌症部位

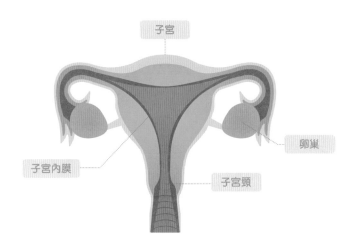

方面，近年多了年輕女士定期接受婦科檢查，故能揪出早期患癌個案，因此年輕女性確診數目增加亦屬合理。

在香港，癌症是致命疾病中的頭號殺手；根據最新的2018年數據，於所有登記死亡的人數之中，達三成是死於癌症。整體來說，首五類常見致命癌症依次序為肺癌、大腸癌、肝癌、乳腺癌及胰臟癌。

以下兩表為2018年女性十大癌症發病及死亡數字資料：在圖表5.2我們可找到乳腺癌、子宮體癌、卵巢癌及子宮頸癌的蹤影；在圖表5.3有關癌症死亡個案數目中，子宮體癌十大不入，而相對比其他癌症，子宮頸癌和卵巢癌的死亡數字亦不算高。

圖表5.2 女性十大癌症發病數字

排名	部位	個案數目	%
1	乳腺	4,618	27.2%
2	大腸	2,375	14.0%
3	肺	2,007	11.8%
4	子宮體	1,165	6.9%
5	甲狀腺	806	4.7%
6	卵巢及腹膜	664	3.9%
7	子宮頸	582	3.4%
8	胃	538	3.2%
9	皮膚（非黑色素瘤）	531	3.1%
10	非霍奇金淋巴瘤	441	2.6%

圖表5.3 女性十大癌症死亡數字

排名	部位	個案數目	%
1	肺	1,328	21.9%
2	大腸	1,005	16.6%
3	乳腺	753	12.4%
4	肝	398	6.6%
5	胰臟	318	5.2%
6	胃	273	4.5%
7	卵巢及腹膜	265	4.4%
8	子宮頸	163	2.7%
9	非霍奇金淋巴瘤	152	2.5%
10	白血病	139	2.3%

*資料來自醫院管理局香港癌症統計中心（2018年）

不可逆轉的患癌風險因素	可逆轉的風險因素
• 年齡增長 • 性別 • 種族 • 癌症家族病史	• 吸煙 • 飲酒 • 缺乏運動 • 蔬果攝取量不足 • 肥胖

盡快戒掉陋習

儘管上述的患癌風險因素有若干是不能逆轉的，但當中仍有不少屬於後天造成，是可避免的。

現代人的生活及飲食習慣欠健康，間接增加了患癌風險：根據衛生署2018至2019年度的《健康行為調查》報告指出，18歲或以上受訪者當中，16.8%並沒有足夠的體能活動量；約兩成的15歲或以上受訪者，在摒除睡眠時間後，每日坐着或躺着的時間竟長達10小時或以上！

調查亦發現，15歲或以上受訪者曾經吸煙的比例接近18%，而當中仍然持續吸煙者更為數不少。飲食方面，若按照世衞的建議（即每日應進食最少5份水果及蔬菜）作準則，95.6%的15歲或以上受訪者根本未能達標。

雖然是老生常談，但在不良飲食與缺乏運動的長期影響下，將會誘發很多健康問題，亦會增加患癌風險。身為精明的時代女性，我們應該懂得如何選擇。

5.2
婦科癌前病變不能拖

問：購買針對女士健康的醫療保險時，我發現保單列明「癌前病變」屬於不保事項，難道癌前病變不算是癌症嗎？

答：偶爾被問及癌症與癌前病變有何分別——後者其實是指身體某些組織出現細胞異常增生，並有潛在癌變的可能性，此等情況可見於乳房、子宮頸、大腸及皮膚等。癌前病變乃是細胞從良性變為惡性的過渡階段，雖算不上是惡性，然而若忽視的話，極大機會有惡化的趨勢並演變成癌症，所以早期治療及持續跟進是十分重要的。

患癌機率高於普通婦女

以較多人關注的乳腺癌為例，當女性體內出現非典型乳管及乳葉增生，便屬於乳房的癌前病變。患者隨後的患癌風險較普通婦女高3至5倍，故一般建議必須密切監察，甚或是以手術方式治療。

要注意的是，癌前病變不等同原位癌（或稱乳腺癌零期），原位癌是指癌細胞還沒有越過基底膜，即乳腺癌並未擴散至淋巴及其

他器官，屬於癌症最早期。原位癌患者須按個別情況接受手術治療，一是進行局部乳房腫瘤切除術，再配合電療清除殘留癌細胞；一是接受全乳切除，並在術後即時或稍後進行乳房重建。跟其他期數乳腺癌不同，因不需要將腋下淋巴一併切除，故後遺症較少。

如何檢查？
乳房X光造影檢查與超聲波掃描等均是檢測乳房健康的常用方法。

另一經常談論的婦科癌症為子宮頸癌，它是其中一種因病毒感染而引起的癌症，主要是由於人類乳頭瘤病毒（HPV）導致細胞病變所致。

定期進行子宮頸細胞檢驗有助及早察覺子宮頸癌前病變並接受治療。

大多數人感染HPV病毒後，不會有任何症狀，甚或在不經治療下自行消失；然而部分女性持續被高危HPV病毒感染（例如HPV16或HPV18），那麼就有機會令子宮頸細胞出現異常，形成子宮頸上皮內病變（Cervical Intraepithelial Neoplasia, CIN）。

子宮頸癌的癌前病變可分為三級，其中12%的子宮頸上皮內病變第三級（CIN III）個案，可於10年內發展為癌症，患者在此期間未必會出現任何病徵，因此定期的婦科檢查（包括子宮頸細胞檢驗）是不可或缺的。如有需要，醫生會安排陰道鏡及子宮頸活組織切片檢查，以進一步了解病變的性質。

若經詳細檢查後，確定子宮頸上皮內病變已屆第二或第三級，自行痊癒的可能性較微，便須接受手術，把子宮頸異常組織切除。不過手術後並非一勞永逸，患者仍需定期接受檢查，以確保沒有復發的情況。

如何檢查？
子宮頸細胞檢驗（亦稱柏氏抹片檢查）、陰道鏡及子宮頸活組織切片檢查均是檢測子宮頸癌的常用方法。

5.3
乳房硬塊未必是乳腺癌

 問：最近感到胸部脹痛，自我檢查時竟發現左胸有硬塊，頓時嚇了一跳，會不會是乳腺癌呢？

答：雖然本港每年乳腺癌相關的新症數目一直高企，但女士們亦毋須過分擔心。事實上，大部分乳房問題多屬良性，如常見的乳腺囊腫和纖維瘤。

至於乳房疼痛，醫學研究指出大多數的個案也與乳腺癌無關，疼痛程度亦非癌症的診斷指標。很多女士在經期前因荷爾蒙水平變化，導致短暫胸痛，屬於正常生理現象。此外，有時候女士穿戴過緊的胸罩或運動過量等，也會引致乳房不適。

以下為3種較常見的乳房問題，女士們只要了解清楚，妥善跟進便可釋除不必要的疑慮。

乳腺增生

不同女士的乳房形態和觸感可以差異很大，部分女士的乳房皮膚觸感較平滑，也有觸感較凹凸不平的個案。後者於來經前，乳房

經期前因荷爾蒙水平變化可引起短暫的乳房疼痛，女士毋須太過擔憂。

會出現較明顯脹痛，症狀會隨着經期完結後消失。此情況稱作乳腺增生，一般來說毋須治療，需要時可服用止痛藥紓緩痛楚。

乳腺囊腫

此症好發於35至50歲，由正常乳腺分泌液積聚而成，分布於乳房導管末端。由於屬非增生的乳房病變，故一般並無切除的需要。醫生可透過超聲波檢查來分辨囊腫性質，如情況複雜須再作活組織檢查。若囊腫為患者帶來不適或直徑大於2厘米，醫生一般會採用幼針抽走內裏的液體，令腫塊消失，惟仍有機會復發，故須定期檢查。

乳房纖維瘤

另一種常見的乳房腫塊是纖維瘤,屬於乳房組織纖維增生。由於患者多無症狀,往往是於例行身體檢查,又或是病人自我檢查乳房時才發現,醫生會再透過超聲波或幼針抽取組織確診。若腫塊確認屬良性而體積不大於2厘米,患者可先作定期檢查,以追蹤腫塊的數量、體積、形態,並跟進任何異常變化;倘若腫塊體積大於2厘米,又或是不斷增生,則有切除的需要。

自我檢查 慎防乳房不尋常

女士應定期進行自我乳房檢查,以便適時觀察,防患未然(請參考本書附錄〈婦科檢查入門篇〉)。若發現乳房無故出現變化,特別是:

→ 乳房大小或形狀有改變

→ 乳房皮膚現凹陷不平或呈橙皮狀

→ 乳頭呈不規則狀、分泌不尋常地增多或滲血

→ 腋下腫脹

→ 淋巴結發大

如有以上情況,必須提高警覺,盡快向醫生尋求專業意見並作詳細檢查。

有關乳腺癌的迷思

乳房愈大患癌風險愈高？

答：不對！既然男性亦有機會患上乳腺癌，便可證明乳房大小跟患癌機率並無關係。不過，乳房較大的女性，可能較難依靠自我乳房檢查發現腫瘤。事實上，不論乳房大小，任何女性也應定期接受乳房檢查，及早發現任何可疑的腫塊，以作出適當的治療。

乳腺癌與遺傳因素有關，主要以母親的家族影響為大？

答：事實上，男性亦有機會患乳腺癌，只是相對女性的個案少得多，所以父母雙方的家族病史同樣需要考慮。

隆胸會導致乳腺癌？

答：暫時未有證據支持此論點。不過，乳房的植入物有可能妨礙一般乳房檢查的準確度，醫生亦須花較多時間去確定是否有腫瘤存在。

人工流產會增加患乳腺癌的風險？

答：由於人工流產可干擾懷孕期間的荷爾蒙，故有人擔心會導致乳腺癌。惟很多研究表明，曾經接受人工流產的婦女，患乳腺癌風險並無因此增加。

乳腺癌高危因素

根據《香港乳腺癌實況第九號報告》的研究，統計了接近1.5萬名本地乳腺癌患者，發現以下4項為最常見的高危因素：

→ 每星期運動少於3小時

→ 肥胖或超重

→ 時常感到巨大心理壓力

→ 未曾餵哺母乳

此外，如家族中曾有人患上乳腺癌，應跟醫生商量，是否需要提早接受常規檢查，避免延遲發現癌症。

5.4
容易被忽略的卵巢癌

問：最近常感到腹脹不舒服，經醫生檢查後，竟把我轉介到婦科再作檢查，更說懷疑是卵巢癌！怎想到腸胃不適原來是生殖器官疾病的症狀！

答：某些婦科疾病初期症狀與腸胃疾病相似，患者往往誤以為是消化不良而向腸胃科求診，其後才被轉介至婦科。以位列女性十大癌症之一的卵巢癌為例，常被稱為「隱形殺手」，皆因正常卵巢體積細小（直徑只約4厘米），並位於盆腔之內；正因其處於體內較深的位置，即使出現腫瘤，早期也大多沒有病徵。直至腫瘤愈來愈大，開始影響盆腔內其他器官（如膀胱、大腸），又或是癌細胞擴散到其他器官，才會出現明顯症狀，故大多數卵巢癌確診時已屆三、四期。

另一方面，由於盆腔與腹腔連接，如果癌細胞伸延至卵巢表皮層，便會迅速走出盆腔，擴散至腹腔。因此，卵巢癌由一期進展至三期，時間會較其他癌症為快。

根據研究顯示，約九成卵巢癌病人患上「上皮性卵巢癌」，其餘一成則為「生殖細胞卵巢癌」、「性索間質卵巢癌」及其他腫瘤類型。

卵巢癌初期症狀與腸胃疾病相似，如有懷疑，應盡快求診。

高危因素

→ 未曾生育

→ 曾經歷自然流產或不孕

→ 比其他女性較遲更年期

→ 停經後逾五年接受荷爾蒙療法

→ 過胖或經常進食過多脂肪

→ 有乳腺癌病史

→ 母親、姊妹、姑或姨等親戚曾患卵巢癌

要留意的是，若近親中有多人患有乳腺癌或卵巢癌，便要慎防自己會否帶有BRCA1或BRCA2基因變異，因兩者皆可增加患上卵巢癌風險。這些女性須定期接受監察，或按患癌風險的高低，決定是否需要進行預防性卵巢切除手術。此外，更年期後的女性亦應定期接受婦科檢查，以助及早發現任何變化。

治療須切除卵巢

治療卵巢癌，以手術切除配合化療為主，早期患者須接受標準治療（包括子宮、卵巢及輸卵管切除）以減低復發率。晚期病人或須於術前先接受化療，之後再進行腫瘤細胞減滅手術。部分患者於術後須以化療作輔助治療，避免癌細胞殘留。針對BRCA1或BRCA2卵巢癌，現時可採用標靶藥來治理，研究顯示效果不俗。

基於「預防勝於治療」的道理，任何年齡的女性（特別是更年期後）均應定期接受婦科檢查，例如盆腔超聲波檢查，以密切監察健康情況。

預防方法

→ 均衡飲食，避免攝取過量脂肪

→ 適量運動

→ 保持心境開朗，學習減壓，注意紓緩精神壓力

→ 最少懷孕一次

→ 如有卵巢功能問題，應及早接受治療

餵哺母乳可減三成患卵巢癌風險

原來餵哺母乳不僅對寶寶有益，同時亦有助減低媽媽患上卵巢癌的風險。澳洲昆士蘭貝格霍菲爾醫學研究中心（QIMR Berghofer）於《美國醫學會雜誌——腫瘤學》（JAMA Oncology）學術期刊中發表的報告指出，研究人員將9973名卵巢癌患者的數據，與世界各地醫學研究中心的「對照組」數據作分析，發現餵哺母乳有助減低患上卵巢癌的風險。

研究顯示，餵哺母乳的婦女可減少接近25%患上卵巢癌的風險；即使只是短短3個月的餵哺，也能降低18%的患癌危機。此外，女性餵哺母乳的時間愈長，風險會愈低——如餵哺母乳超過一年者，其患癌風險可減低達34%！而此益處更有機會持續長達30年之久。

5.5
子宮體癌新症急升

> 問：近日新聞提及愈來愈多女性患上子宮內膜癌（Endometrial Cancer），請問有哪些風險因素？治療此症是否必須將子宮切除？

答：據統計，女性十大癌症的新症個案中，子宮體癌排行第四，此數字在10年間急升，值得讀者留意。

子宮體由內膜（Endometrium）及肌肉外層（Myometrium）組成，如在這個位置出現癌細胞，便是子宮體癌，當中接近九成是子宮內膜癌。子宮內膜的作用是懷孕時供胎兒着床，如卵子未有受精，子宮內膜便會有周期性剝落及生長，亦即每月一次的月經。40歲後有經血過多或經期紊亂的女士，又或是更年期後有不正常出血者，便應盡快求醫。

與雌激素分泌有關

有研究指，如果雌激素分泌過盛，將增加患子宮內膜癌的風險，例如肥胖會增加體內雌激素濃度。其他高危因素包括年過六十以上，又或是家族中多於一名近親曾患乳腺癌、大腸癌或卵巢癌等。至於長期接受單一雌激素荷爾蒙治療者，或是正在服用三苯

氧胺（Tamoxifen）的乳腺癌患者，也會有較高風險患上子宮體癌。

幸而，超過半數子宮內膜癌患者於確診時為第一期，腫瘤並未向外擴散，因此治癒率非常高。醫生一般會建議將子宮及雙側卵巢和輸卵管切除，若患者仍想生育而癌症又屬初期的話，可考慮以荷爾蒙藥物抑制癌症，並把握時間盡快懷孕。必須注意的是，荷爾蒙治療只屬權宜之計，並非最確切的治療方法，故患者於完成生育大計後，也宜將子宮切除，避免癌症復發。至於腫瘤已有擴散跡象的患者，則須於手術後進行輔助性治療，例如電療或化療，以減低復發的機會。

患者於進行子宮切除手術前，應與醫生了解清楚以消疑慮。

切除子宮的擔憂

一般而言，切除子宮手術可分為全切除和部分切除，前者是將整個子宮連同子宮頸切除，後者則只切除子宮體而保留子宮頸，故術後仍有患子宮頸癌的風險。

另外，於某些情況下輸卵管及卵巢也須一併切除，例如要減低患上卵巢癌的風險，或患者已屆更年期，卵巢不會再釋出荷爾蒙等。至於未達更年期的女性則須謹慎考慮，若一併切除卵巢的話，會令體內女性荷爾蒙下降，提早收經。

昔日切除子宮手術以開大刀（傳統開腹手術）為主，現時已可採用微創方式，於腹部開出數個小傷口，從中放入腹腔鏡及儀器進行手術。對患者來說，微創手術的痛楚及出血較少，復元速度較快。惟若患者曾經多次進行開腹手術，較高風險有盆腔黏連，則未必適合微創手術，選擇傳統開腹方式或許更佳。

沒有了子宮的身體會否出現巨變？首先，手術後患者由於子宮已被切除，故不會再有經期（但不等同卵巢機能衰退導致的收經），但對已收經的女士而言則影響不大。有患者擔心術後女性荷爾蒙完全消失，甚至害怕生鬚或浮現其他男性特徵，其實毋須太憂慮，如果卵巢得以保留，身體仍會分泌女性荷爾蒙，不會令外形出現重大改變。至於子宮原來的位置亦不會凹陷，因為手術時會縫起陰道頂端，其他腹腔內的器官（如小腸）會填補原來子宮的空缺。

目前已知曾經生育或餵哺母乳的女性，患子宮體癌的風險較少，原因或與人生中受雌性荷爾蒙影響的時間較短有關；另外，保持健康生活、不吸煙和多運動，飲食方面盡量維持「三低一高」原則，即低糖、低鹽、低油及高纖，也可降低整體患癌風險。至於定期進行婦科檢查，有助及早察覺身體變化，為自己的健康把關。

5.6
接種疫苗可預防子宮頸癌

 問：子宮頸癌疫苗是否只適合未有性經驗的人士接種？這款疫苗真的可以預防子宮頸癌嗎？

答：先解釋一下什麼是子宮頸癌：它屬於惡性腫瘤的一種，可入侵相鄰的器官如陰道、骨盆，亦能擴散至與子宮頸相距較遠的器官如肝臟、腦部等。早期子宮頸癌未必有任何症狀，但若有以下病徵，則宜及早求診。醫生將按病情需要進行陰道鏡檢查，局部切片或目標活組織切片檢查，又或是錐形活組織檢查。

子宮頸癌危險訊號

→ 不正常陰道出血，如在兩次經期之間、行房時或房事後

→ 停經後出現陰道出血

→ 陰道分泌帶有惡臭

子宮頸癌的主要成因，多是由於人類乳頭瘤病毒（Human Papillomavirus, HPV）的感染所致。正如本章〈婦科癌前病變不能

拖〉所述,部分人受感染後,身體的免疫功能未能自行清除HPV病毒,若然高危類別的HPV病毒感染持續,如HPV16、18、31、33或45,便會令子宮頸出現異常細胞病變,亦即子宮頸上皮內病變。此種病變若處理不當,10年內有機會變成癌症,因此必須留神。另外,部分HPV病毒感染可引致生殖器官出現性病疣,即俗稱的「椰菜花」。

由於HPV病毒主要經性接觸傳染,即使女士一生中只有一個性伴侶,如對方曾與受感染的人士發生性行為,也有機會因此把病毒帶過來。另一方面,過早發生性行為、有多個性伴侶,又或是

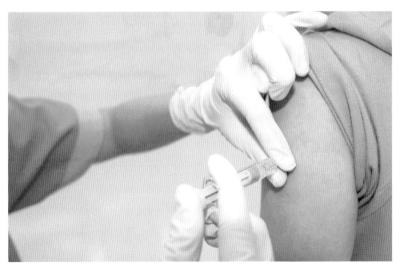

及早接種子宮頸癌疫苗可有效預防多種類型的人類乳頭瘤病毒。

性伴侶濫交等，均會增加感染風險。亦有指吸煙人士、首次懷孕時年紀較輕及多次生育者，以及免疫力不足的人，若感染HPV病毒，則有較高風險發展成為子宮頸癌。

要有效預防子宮頸癌，應避免過早發生性行為，以及盡量維持單一性伴侶。此外，安全性行為亦能有效減低感染HPV病毒及其他性接觸傳染病的風險，但必須正確使用安全套，方能發揮最佳的功效。至於接種疫苗，亦不失為有效預防子宮頸癌的方法。

有別於大部分癌症，子宮頸癌可有效地透過接種疫苗來預防。由於HPV病毒已被證實為子宮頸癌的主要病因，注射子宮頸癌疫苗（又稱HPV疫苗）既能預防子宮頸癌，又能減低感染HPV病毒而引致的生殖器官癌症和疾病，例如陰道癌、肛門癌、性病疣等。現時，香港市面註冊的子宮頸癌疫苗共有3款，分別為二價疫苗、四價疫苗及九價疫苗。

圖表5.4 子宮頸癌疫苗種類

二價疫苗	預防HPV16及18型
四價疫苗	預防HPV6、11、16及18型
九價疫苗	預防HPV6、11、16、18、31、33、45、52及58型

男性要接種子宮頸癌疫苗嗎？

既然子宮頸癌只會出現在女性身上，男性有必要接種疫苗嗎？答案是肯定的。原因是HPV病毒主要經性接觸傳播，若男士們也一併接種疫苗，便可大大減低傳播風險，從而保護女伴免受感染；另一方面，男士若感染HPV病毒，除了有機會導致性病疣（「椰菜花」）外，亦可引發陰莖癌、肛門癌及口腔癌等癌症，因此接種疫苗亦可作自身保障。

於2007年開始，澳洲政府為適齡男童免費接種子宮頸癌疫苗，5年後發現，21歲以下女性及異性戀男性感染性病疣的機率分別降低九成及八成。歐美亦愈來愈重視男性HPV病毒感染的預防工作，英國在2019年將子宮頸癌疫苗接種計劃擴展至12至13歲男童，不再只替女生接種，為的是希望能減少全國的子宮頸癌及其他相關癌症個案數目。現時「香港兒童免疫接種計劃」只為合資格的小學女童提供子宮頸癌疫苗接種，男生如有興趣接種的話，可向家庭醫生查詢。

已發生性行為 接種疫苗仍有效

由於子宮頸癌疫苗對未感染過HPV病毒的人士最有效，因此香港政府由2019/20的學年起，已將此疫苗納入「香港兒童免疫接種計劃」之中，為就讀小學五年級的女童接種第一劑（九價子宮頸癌疫苗），而第二劑則在翌年升讀六年級時接種。

至於已有性行為的女性，只要仍未受HPV病毒感染，疫苗仍可發揮九成以上的預防功效。倘若不幸已感染了HPV病毒，接種疫苗雖不能清除已感染的HPV病毒類型，但仍可預防其他仍未感染的HPV病毒。因此為了保護自己，不同年齡的女性都應考慮疫苗接種。

5.7
無聲無息的陰道囊腫

問：據説陰道也有機會出現囊腫，這是惡性腫瘤的先兆嗎？

答：我們身體的不同部位，均有機會出現各類良性腫瘤，囊腫是其中常見的一種，內裏包含的多是液體，體積由小至肉眼難以辨認，至大如乒乓球般大小皆有，但絕少演變成癌症。陰道既是身體的一部分，當然也有機會出現囊腫；陰道囊腫（Vaginal cyst）位處陰道壁，常見成因包括：先天形成、分娩後創傷或腺體堵塞所致。

陰道囊腫主要分類

加特納囊腫（Gartner's duct cyst）

源自胚胎發育過程中的中腎管，其殘餘部分可於陰道壁內形成囊腫。

陰道包涵囊腫（Inclusion cyst）

屬於後天問題，多因在分娩過程中或陰道手術後陰道壁受損，黏膜被捲入陰道深層所致。

巴氏腺囊腫（Bartholin's cyst）

於本章〈巴氏腺囊腫引發疼痛〉一文將詳細講解。

不一定有症狀

如果陰道囊腫體積不大，患者有機會完全不察覺，故較常見的情況，是患者在接受婦科檢查時無意中發現。儘管陰道囊腫大多不會有變化，偶爾亦有個案囊腫隨着時間而變大，對日常生活帶來不便，如步行時有墜脹感，行房時感到不適，甚或是阻礙分娩。若然陰道囊腫受到細菌感染，則會引起紅腫及疼痛，並需要即時醫治。

即使陰道囊腫屬於良性，但亦需要詢問醫生是否須要接受治療，免除後患。

雖然陰道囊腫屬於良性，但為免除變大或受感染之後患，患者亦
應向婦科醫生查詢，了解是否需要接受治療。

檢查及治療

除臨床檢查外，醫生亦會建議患者進行其他測試，以排除表徵相
若的疾病，例如抽取囊腫組織樣本進行活檢，了解是否與陰道癌
有關，或是進行影像學檢查（如磁力共振掃描、電腦掃描等），
詳細檢查囊腫結構。假若囊腫出現急性感染症狀，則須抽取囊腫
內的膿液作化驗，以了解細菌的類型，患者一般可先嘗試服用醫
生處方之抗生素作治療；惟病情沒好轉者，則須考慮以手術排膿
來處理。

對於毫無症狀的患者，應定期接受婦科檢查，以監測陰道囊腫的
大小及外觀變化。假若陰道囊腫有愈發脹大之趨勢，又或是引起
不適，便應積極考慮以手術切除。

5.8
巴氏腺囊腫引發疼痛

問：前陣子我洗澡時發現外陰長了微細的「粒粒」，就像一顆花生大小，後來感到愈來愈痛，現在就連行房及平日步行時亦覺不適，這會是性病嗎？

答：在女士陰道入口位置兩旁、陰唇後方，左右皆長有巴氏腺（Bartholin's gland），其功能是分泌潤滑液，有助順利進行性行為。巴氏腺的體積約1厘米，正常情況下肉眼看不見，也觸摸不到；但如果有堵塞情況，便會令潤滑液無法分泌而積聚其中，形成巴氏腺囊腫（Bartholin's cyst），亦稱前庭大腺囊腫。

一般巴氏腺囊腫都在單邊出現，情況嚴重時可腫如雞蛋般大。由於大部分女性對巴氏腺囊腫認識不深，而且早期多無症狀，因此患者常誤以為是普通粉瘤。若然巴氏腺囊腫出現細菌感染（例如大腸桿菌，或經性接觸感染的衣原體或淋病），則會誘發巴氏腺膿瘍（Bartholin's abscess），帶來紅腫、痛楚及熱灼感覺。

此症多見於生育年齡的女士，特別是介乎20至30歲之間，有研究認為巴氏腺囊腫的形成，與細菌感染導致腺管外口阻塞有關。

受急性感染的巴氏腺囊腫患者,可先透過醫生處方的抗生素及消炎止痛藥改善情況。

巴氏腺囊腫的症狀

→ 初期可無症狀,或只有無痛的小腫塊,觸感柔軟。

→ 當囊腫愈長愈大,觸感及目測上會變得明顯,受影響的一邊陰唇會較腫大。於走路、坐下或行房時,有可能感到不適或疼痛。

檢查及治療

如果是較細小的巴氏腺囊腫，患者一般未必察覺，多是在常規的婦科檢查中無意發現。如若發現外陰有不明腫塊，宜盡快求診，以確定「腫塊」的性質，排除其他嚴重疾病。

治療方面，無症狀者可選擇保守治療，定期觀察囊腫的大小；倘若囊腫愈發脹大，或伴隨上述不適，則須考慮以手術方式處理。至於受急性感染的巴氏腺囊腫患者，如在服用醫生處方的抗生素和消炎止痛藥後仍未有好轉，便需要進行巴氏腺囊腫袋形縫合術（Marsupialization），以手術方式清理囊腫中的液體及膿液，之後再縫合囊壁。術後初期患者要避免浸浴及性行為，減低感染風險；約一個半月後便可回復正常生活。

儘管至今仍未能確定巴氏腺囊腫的病發原因，但基於部分個案與性接觸感染疾病有關，因此進行性行為時應做足安全措施，使用安全套，以減低感染風險。

附錄：婦科檢查入門篇

I. 盆腔超聲波檢查

不少婦科疾病的初期症狀不易察覺，當出現明顯症狀時往往已屆中晚期階段，治療成效大打折扣。如能及早發現隱患，便能盡早治療，因此，定期進行婦科檢查實屬必須，女士應最少將以下3個項目列入檢查清單內：

→ 盆腔超聲波檢查

→ 子宮頸細胞檢驗

→ 乳房超聲波檢查

先說較少人談及的盆腔超聲波（Pelvic Ultrasound）。它主要是用來檢查子宮、卵巢、輸卵管、陰道等部位，可檢測女性生殖器官有否發生變異，例如出現子宮肌瘤（長在子宮壁的良性腫瘤，常見於未曾生育的女性）、卵巢囊腫（有機會引致經期紊亂，如體積太大須接受手術）、子宮內膜異位症、子宮內膜癌或卵巢癌等。

婦科癌症當中，卵巢癌、子宮頸癌及子宮體癌較為常見，當中較容易延誤治療的是卵巢癌。原因之一是卵巢位於盆腔內，體積細小而且位置深入，即使長了腫瘤，其症狀亦不明顯；加上以往盆腔超聲波較少納入在一般婦科檢查計劃中，因此超過一半的卵巢

盆腔超聲波不帶輻射，屬非侵入式檢查，可用於檢查輸卵管、卵巢、子宮、陰道
等部位。

癌患者確診時，已屬第三期或第四期，腫瘤經已有擴散跡象。患者在此階段即使接受治療，包括化療及以手術切除子宮、卵巢及輸卵管，其後復發機會偏高，5年存活率亦只得兩三成。

及早偵測卵巢癌

然而，如能及早透過超聲波檢查偵測到早期卵巢癌（請參考本書第五章〈容易被忽略的卵巢癌〉），患者的存活率其實甚高。因此女性應考慮將盆腔超聲波檢查加入定期的婦科檢查之中。

盆腔超聲波沒有輻射，屬於非侵入式檢查，可經腹部或經陰道進行，透過高頻音波穿透人體皮膚及組織，顯示實時影像。經腹部

進行的盆腔超聲波適用於任何女性，特別是未有性經驗者或懷孕中後期的孕婦。進行檢查前須飲用大量清水，目的是令膀胱膨脹，將阻礙超聲波穿透的小腸及大腸推離腹腔的底部，而膀胱內的尿液亦有助超聲波的反射，讓超聲波可以輕易穿透膀胱，照射到後方的子宮與卵巢，產生清晰的影像。

至於經陰道進行的盆腔超聲波，則以探頭放進陰道中直接取得超聲波反射，故影像會較清晰，亦不需漲尿，惟於探頭放入陰道時，有機會造成不適。

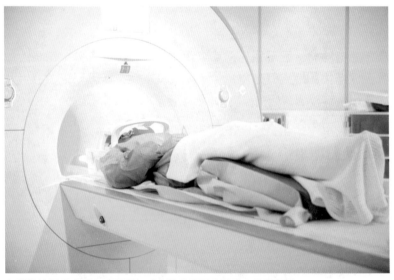

如醫生懷疑患者患上卵巢癌，或會建議進行盆腔磁力共振掃描。

如懷疑已出現癌症，醫生會按個別情況安排其他相關檢查，例如：磁力共振掃描（MRI）。此檢查可清楚觀察盆腔內器官、周邊軟組織及淋巴，能助判斷病因，並分析腫瘤的大小、位置，及其擴散程度，有利確診並決定治療方向。此外，磁力共振掃描既安全且不含輻射，故不會影響接受檢查者日後的生育能力。

11. 子宮頸細胞檢驗

在本書的第五章，我們談到子宮頸癌疫苗對於預防子宮頸癌的重要性，而子宮頸細胞檢驗（又稱柏氏抹片檢查），則有助及早察覺子宮頸細胞病變，卻經常被女士忽略。

Mary是25歲的年輕媽媽，產後按醫生建議每年一次接受子宮頸細胞檢驗。但在最近一次檢查中，醫生發現其子宮頸出現了癌前病變的情況，猶幸發現得早，經治療後現已痊癒。

上述個案足見定期進行子宮頸細胞檢驗的重要性。根據衞生署推出的「子宮頸普查計劃」，年齡介乎25歲至64歲、曾有性經驗的女性，應每1至3年定期接受子宮頸細胞檢驗。即使已屆更年期，亦應按時檢查。檢查過程簡單，亦不會造成明顯痛楚，醫護人員只須於子宮頸表面抽取細胞樣本，過程大約數分鐘便完成。

假如檢查後發現子宮頸細胞異常，便須作進一步測試，以確定病變的嚴重程度。早期患者一般沒有任何症狀，只須接受簡單的治療，便能有效避免癌症形成，治癒率也較高。倘若延誤處理，則有機會在5至10年間發展成子宮頸癌。

雖然不少國家如澳洲、日本、瑞典等，早推出自行採檢的工具，讓女性於家中自我採集子宮頸細胞，再寄到化驗所測試。不過，

子宮頸細胞檢驗是常用的子宮頸癌篩查方法。

香港中文大學的研究曾提及，若工具使用不當，未必能採集到適合的樣本，加上其準確度與傳統採樣方法相比始終有所不及，故目前仍然以子宮頸細胞檢驗為標準。

隨着近年廣泛宣傳，愈來愈多婦女明白子宮頸癌疫苗注射能有效預防子宮頸癌，惟因疫苗暫無法預防所有類型的HPV病毒，亦無法清除體內已感染的病毒；因此，即使已接種疫苗，仍須定期接受子宮頸細胞檢驗。至於已作全子宮切除的女士，若手術後樣本化驗確定並沒有子宮頸細胞病變，則毋須再作此檢查。

子宮頸細胞檢驗一般只須於子宮頸表面輕輕地刮取足夠的樣本便可完成檢驗。

值得一提的是，子宮頸細胞檢驗只針對子宮頸癌及其相關病變，至於其他婦科癌症，如：子宮內膜癌、卵巢癌，以及一些常見的婦科疾病，如：子宮肌瘤、子宮內膜異位症或卵巢囊腫等，則不能透過此篩查檢測出來。

III. 乳房檢查

近年，香港女士愈來愈重視乳房相關檢查，除了因為不少機構的大力宣傳外（如每年10月為響應「國際乳腺癌關注月」而舉行的一連串關注乳腺癌活動），亦由於本地女性常見癌症中，乳腺癌一直名列首位，令不少女士「聞風喪膽」有關。

35歲的Macy某天洗澡時發現乳房有硬塊，擔心自己患上惡疾，翌日立即求醫。檢查後證實虛驚一場，硬塊只是乳腺纖維瘤，並非

如察覺乳房有異常情況，應及早詢問醫生並作相應檢查。

乳腺癌。很多女性像Macy一樣，當感到乳房疼痛或發現硬塊，馬上聯想到癌症，雖則有時是杞人憂天，但至少不會延誤治療。

除了乳腺纖維瘤外，乳房問題也可能因乳腺囊腫（俗稱「水囊」）而起，當然亦有機會與癌症有關。無論如何，及早發現有利及早治療，以免病情惡化。倘若乳房出現以下問題，更應加倍留意，例如乳房有不明硬塊、腋下淋巴結脹起、乳房外觀改變、乳頭縮陷或流出分泌物和血、皮膚有點狀式凹陷（俗稱「橙皮紋」）等。以上症狀皆有機會與惡性腫瘤有關，絕對不能掉以輕心。

自行檢查乳房重點

正所謂「預防勝於治療」，女士（尤其40歲以上）除了該按醫生指示定期接受婦科檢查外，也應不時作自我乳房檢查養成良好習慣，防患未然。

檢查時，最重要是「觀察」和「觸摸」，女性可於每月的經期完結後（以免混淆因月經而引致的乳房疼痛及腫脹），脫掉衣服對鏡觀察──此時要正面對着鏡子和雙手垂下，留意雙乳有否變得不對稱，形狀大小有否變化，甚或是乳頭有否下陷等。如有腫塊隆起，就要特別警覺。洗澡時於乳房塗上沐浴露，然後由乳房外側開始以手指於整個乳房打圈，逐步收窄打圈直徑，再於乳暈打轉，期間要輕按皮膚，以便確切感覺到是否有硬塊。

女士應每月進行一次自我乳房檢查，保障乳房健康。

如於自我檢查時察覺有異，先不要杞人憂天，宜盡快找醫生作詳細檢查。最常採用的乳房超聲波掃描檢查，可辨別腫塊是囊腫抑或實體，同時檢查其體積及特徵，醫生會綜合各點再決定是否須作進一步檢驗，例如X光造影檢查或乳房磁力共振掃描。至於3D乳房造影（俗稱「夾胸檢查」）則可顯示微鈣化點及不規則邊緣硬塊，此技術比起2D技術的準確度更高，同時按壓力度也較輕，令女性較易接受。

乳房檢查項目解說

乳房超聲波掃描檢查（Breast Ultrasound）

利用高頻率的聲波，分辨乳房腫塊是硬體或囊腫，檢查腫塊的大小、性質和特徵。超聲波掃描不帶輻射，是一種無痛和安全的檢查，任何年齡女士，包括懷孕婦女皆適用。

2D 平面乳房造影檢查（2D Mammogram）

此檢查是利用低輻射劑量的X光射線，有效地偵測出一些體積細小或未形成腫瘤的早期乳腺癌病變，例如微鈣化點。一般建議40歲或以上女士，每2年進行一次乳房造影檢查。

3D 立體乳房造影檢查（3D Mammogram）

利用目前最新的X光造影技術，透過結合多個不同角度拍攝的乳房圖像來重組成三維立體影像。相較2D技術，3D立體乳房造影的乳腺癌檢測準確度可提升40%以上，且一般只須較輕的力度按壓乳房便能完成測試，減輕檢查帶來的不適。

乳房磁力共振掃描（Breast MRI）

磁力共振掃描是利用磁場和無線電波，在無輻射及痛楚的情況下，清晰地透視身體內各部位組織，以輔助其他造影檢查（乳房造影和超聲波掃描）診斷一些不確定的臨床或影像異常；同時可偵測隱性癌症，篩查高危人士，評估乳腺癌病情，監測治療成效和診斷復發。

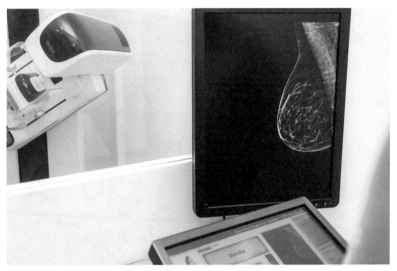

X光乳房造影檢查可有效偵測出一些體積細小或未形成腫瘤的早期乳腺癌病變。

輕熟女必讀！
婦科煩惱答問書

作者　　　　陳穎賢醫生

出版經理　　周麗琴
編輯　　　　王家瑜
設計及插圖　Kaman Cheng
協力　　　　劉曉晴
圖片　　　　Shutterstock

出版　　　　信報出版社有限公司 HKEJ Publishing Limited
　　　　　　香港九龍觀塘勵業街11號聯僑廣場地下
　　　　　　電話（852）2856 7567　　傳真（852）2579 1912
　　　　　　電郵 books@hkej.com

發行　　　　春華發行代理有限公司
　　　　　　香港九龍觀塘海濱道171號申新証券大廈8樓
　　　　　　電話（852）2775 0388　　傳真（852）2690 3898
　　　　　　電郵 admin@springsino.com.hk

　　　　　　台灣地區總經銷商
　　　　　　永盈出版行銷有限公司
　　　　　　台灣新北市新店區中正路499號4樓
　　　　　　電話（886）2 2218 0701　　傳真（886）2 2218 0704

承印　　　　美雅印刷製本有限公司
　　　　　　九龍觀塘榮業街6號海濱工業大廈4字樓A室
出版日期　　2021年4月
國際書號　　978-988-74176-0-6
圖書分類　　健康保健
定價　　　　HK$118　　NT$510

作者及出版社已盡力確保所刊載的資料正確無誤，惟資料只供參考用途。